頭が良くなる!

マインクラフト 脳トレパズル

本書について

●本書に記載されているアイテムの一部に、ゲーム内では出現しない物が登場しております。それ以外のアイテムやモンスター等の名称は、ゲーム内名称と同一になるよう最善の努力を払いましたが、マインクラフトのアップデートによって名称が変更される可能性があります。あらかじめご了承ください。

●本書はMinecraft公式の書籍ではなく、Minecraftのブランドガイドラインに基づき企画・出版したものです。Microsoft社、Mojang社、Notch氏は本書に関してまったく責任はありません。本書の発行を可能としたMicrosoft社、Mojang社、Notch氏に謝意を捧げます。

standards

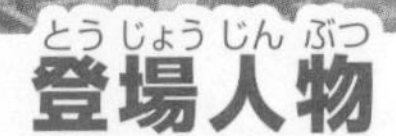

登場人物

スティーブ

ごぞんじ　マイクラのしゅじんこう。ゲームやぼうけんが　大すきだ。

アレックス

スティーブの　たよれるあいぼう。パズルなどはかなりとくい。

はかせ

マイクラに　くわしく、2人の　ぼうけんをサポートして　くれる。

ストーリーも　でんせつの
そうびを　手に入れる　ぼうけんに
なっており、ワクワクドキドキの
れんぞくじゃ！
でんせつの　そうび!?
すごい！　たのしみだな～

パズルの　しゅるいも
いっぱいあって　たのしそう！
うむ！　たのしいものから
はごたえが　あるものまで
いろいろ　ようい　されておるぞ！

さあ！　それでは
たのしい　ぼうけんに
レッツゴーじゃ!!
レッツゴ～～!!

むずかしいときは、
大人の人に
手つだってもらってね！

もくじ

裏表紙

3人の
かくればしょの
答え

みんなは
どこにいるか
わかったかな?

#01

― むずかしさ ▸ ☆☆☆☆☆

アイテムを　そろえて　ぼうけんの　じゅんび!

ぼうけんに　たびだつまえに、いくつか　アイテムを
よういして　おいたほうが　いいじゃろう！
ふっかつばしょを　セーブできる　ベッドも　あるといいな！

01 3つの　アイテムを　みつけよう

スティーブとアレックスが　もっていきたい　アイテムを　さがして、せんで
かこみましょう。アイテムが　タテ・ヨコ・ナナメに　3つ　つながっているのを
見つけて、せんで　かこんでください。どの　じゅんばんでも　かまいません。

カコミかたの　ちゅうい

タテ・ヨコ・ナナメに　3つ　まっすぐ
つながっているものを　見つけましょう。
とちゅうで　まがっては　いけません。

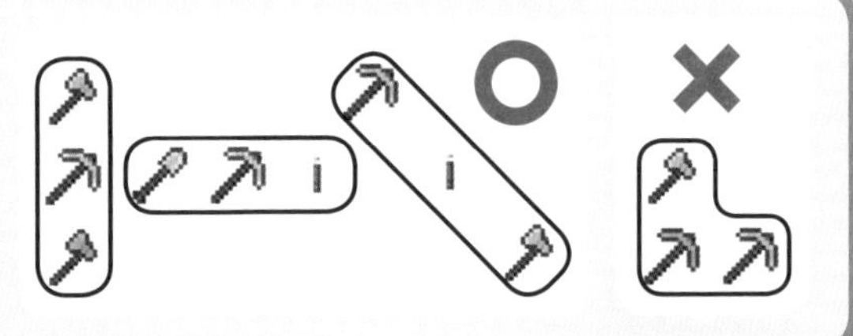

ぼくは
金のシャベル　鉄のツルハシ　松明
をもっていくよ！

わたしは
金のツルハシ　鉄のシャベル　金の斧
をもっていくね！

02 ヒツジを　つかまえて　ベッドを　つくろう

ベッドを　つくるために、2ひきの　ヒツジを　つかまえました。スティーブとアレックスが　つかまえた　ヒツジは、それぞれ　どのヒツジでしょうか？
○で　かこんでみましょう。

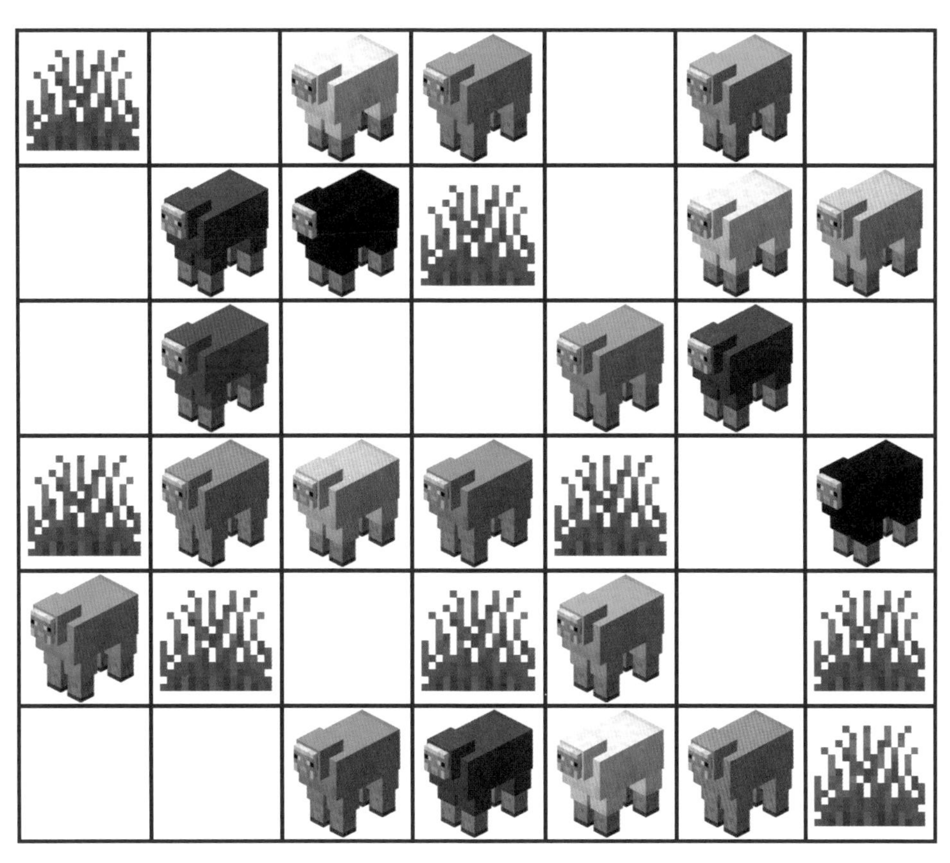

ぼくがつかまえた　ヒツジのとなりには　あかとピンクの　ヒツジがいたよ。あおやみどりは　となりに　いなかったなあ

わたしは　しろ・くろ・はいいろから　どのいろを　つかまえるか　なやんだけど、あかときいろの　ヒツジが　となりにいたヤツを　つかまえたよ

クリア！

アイテムの　じゅんびは　すべてととのった。さあ、いまこそでんせつの　そうびを　みつけるぼうけんに　たびだつときだ！

クリアした日（ひ）

月（がつ）　日（にち）

#02

— むずかしさ ▶ ☆☆☆☆☆

かくれている　どうぶつを　見(み)つけよう

マイクラの　せかいには、いろいろな　どうぶつが　おるぞ。
どうやら、ちかくの　くさかげにも　かくれている　みたいじゃ。
いったい、どんなどうぶつが　いるのかな？

01 てんを　つないで　どうぶつ　はっけん！

下(した)の　てんを　すう字(じ)の　じゅんばんに　つないでいくと、ある　どうぶつの
すがたが　見(み)つかります。すべての　てんを　せんで　つないで　みましょう。

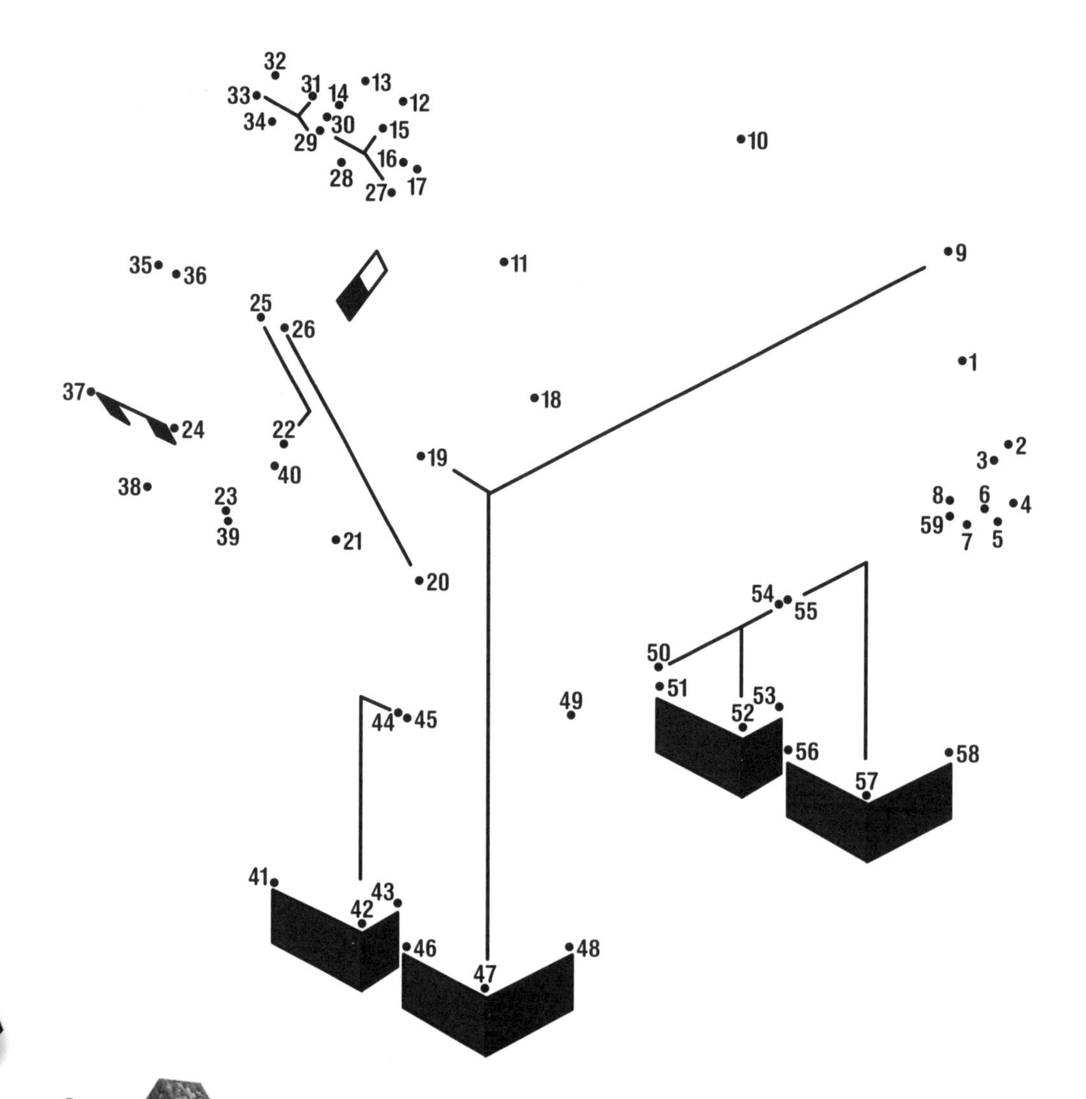

02 まだまだ　どうぶつが　かくれているよ!

こんどは、あかい　てんと　あおい　てんを、それぞれ　じゅんばんに　つないでみましょう。あかい　てんは　あかい　てんだけと、あおい　てんは　あおい　てんだけと　せんで　つなぐように　してください。

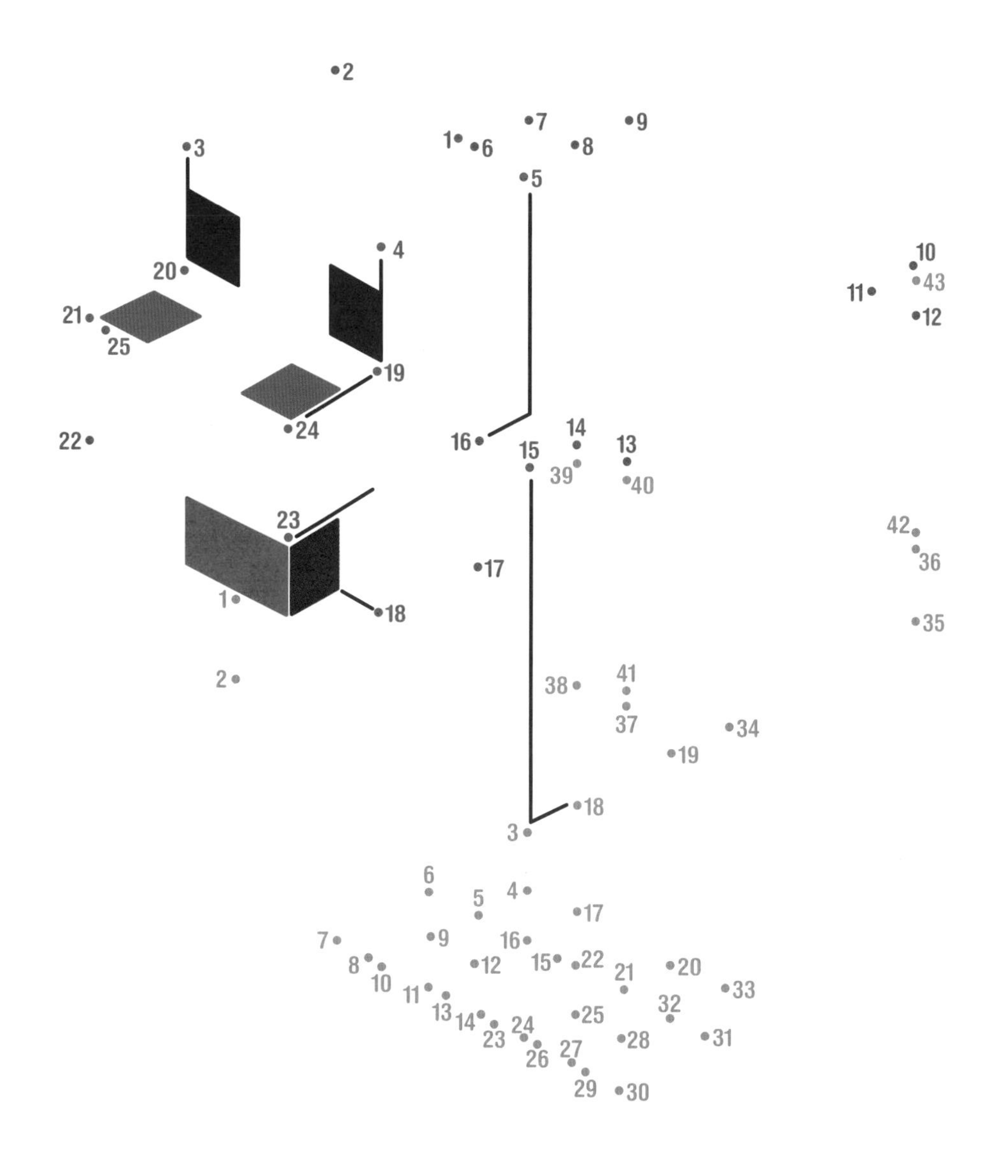

どうぶつたちを　見(み)ながら
のんびり　たびきぶん。
でも、このさき　なにが　あるか
わからない。ゆだんは　きんもつだ！

クリアした日(ひ)

月(がつ)　日(にち)

#03

— むずかしさ ▸ ☆☆☆☆☆

きけんな　よるの　モンスターたち!

よるは、モンスターたちが　かつどうを　はじめる　じかんじゃ！
モンスターは　しゅるいによって　うごきや　こうげきほうほうが
ちがうので、よくかんさつすれば　せんとうを　かいひできる。

シルエットの　モンスターは?

よるに　なって、モンスターたちが　あらわれましたが、くらくて　どんな　モンスターか　よく　わかりません。モンスターずかんを　さんこうにして、シルエットになっている　モンスターの　なまえを　かきこんでみましょう。

ヒント!

もっている　どうぐや うで・あしの　かたち なんかを　かんさつ してね!

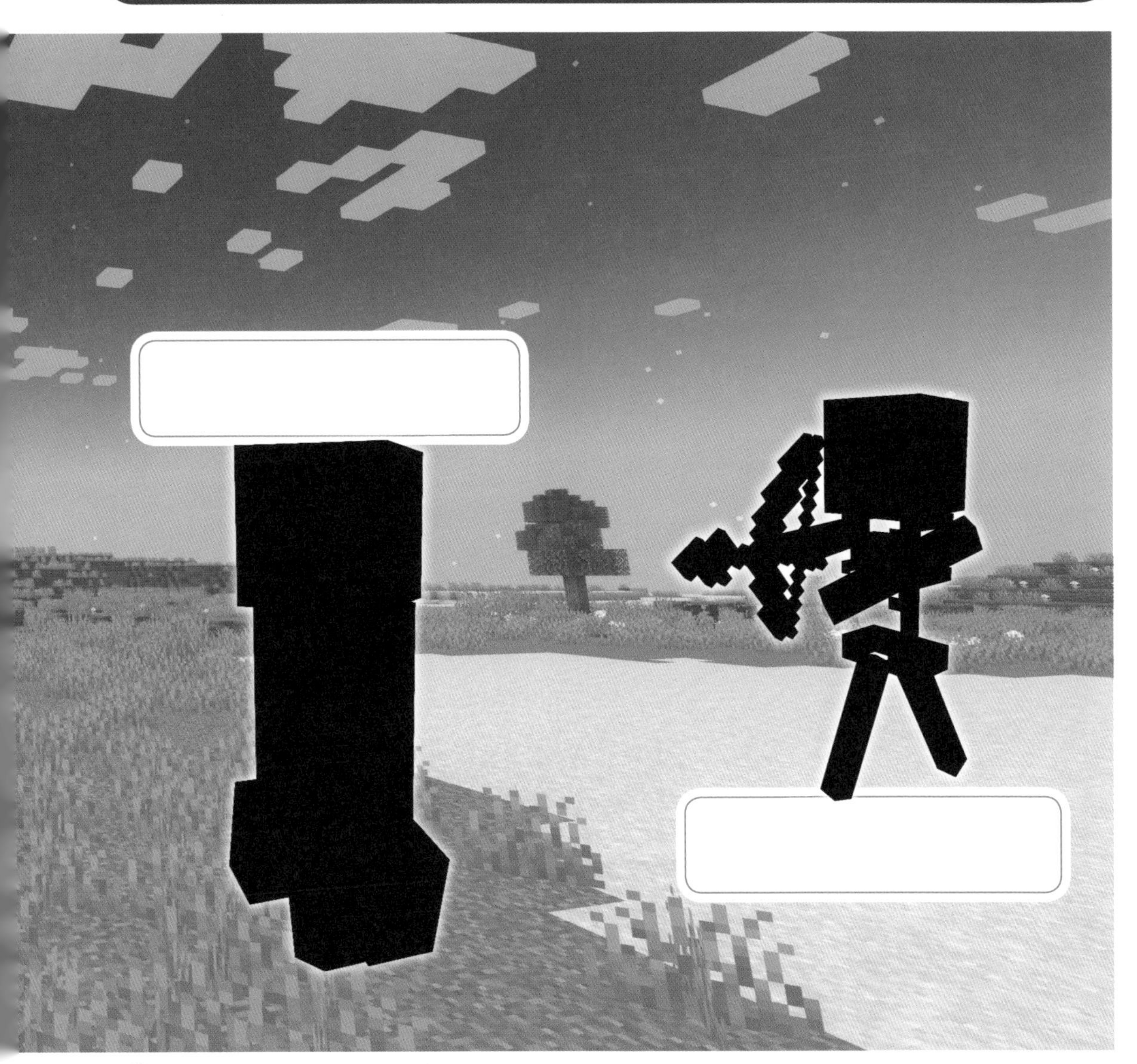

モンスターを　しっかり　かんさつ できたので、モンスターと たたかわずに　ぶじに　にげのびる ことが　できたぞ!

モンスターから にげのびた!

クリアした日

月　日

#04

― むずかしさ ▸ ☆☆☆☆☆

さいしょの　村を　見つけよう

ぼうけんを　つづけるためには、たべものや　どうぐなど
いろいろな　ものを　ほきゅうしないと　いけないんじゃ。
村を　見つければ、いろいろな　ものを　ほきゅうできるぞ。

01 村の　あるばしょは　どこ?

たびの　とちゅうで　あった人たちに、ちかくにある　村の　ばしょを
きいてみました。3人の　はなしから、村は　A～Dの　どこかに　あることが
わかりました。村が　あるマスを　A～Dから　えらんで　○を　つけましょう。

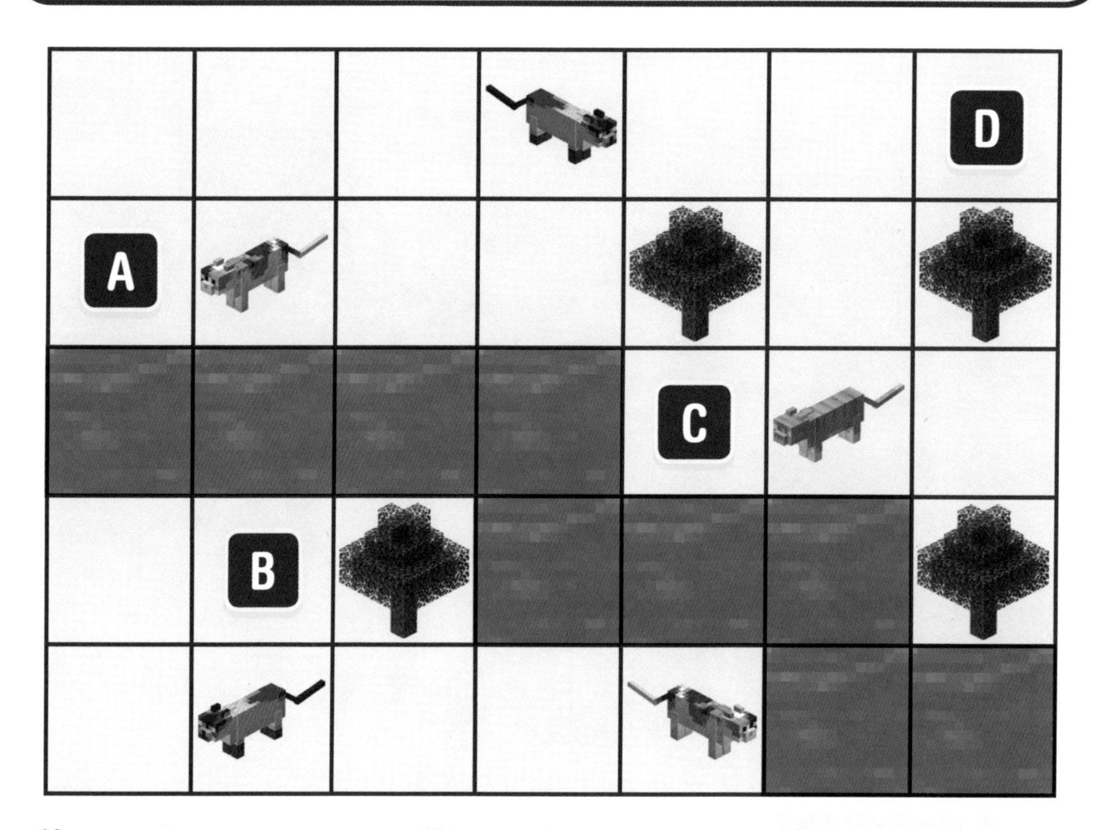

村の　よこの
マスには
いつも　ネコが
いるよ

村の　となりに
川が　ながれて
いるよ

村の　うえの
マスには　木が
はえて　いるよ

02 かがみうつしの　まちがいさがし

さいしょの　村に　たどりつきましたが、どうも　ようすが　おかしいようです。下の　2まいの　しゃしんは　かがみうつしに　なっています。まちがっているところが　5つあるので、まちがいを　ぜんぶ　○で　かこんで　みましょう。

かがみうつしに　なっているから、ふつうの　まちがいさがしと
ちょっと　かんかくが　ちがうかも。よ～く　みくらべてね！

ぶじに　平原の村に　たどりつくことが　できたぞ！　水やしょくりょう、アイテムなどをここで　ほきゅうしておこう！

さいしょの村にとうちゃく！

クリアした日

月　日

#05

— むずかしさ ▶ ☆☆☆☆☆

たべものを　手に入れよう!

これからの　ぼうけんの　ことを　かんがえて、この村で
たべものを　あつめて　おきたい。さいわい、ここの　村人たちは
いい人ばかりで　たべものも　わけてくれそうじゃ！

01 たべものだけ　ひろって　いこう!

村にある　はたけから　たべものだけを　ひろって　ゴールまで
いきましょう。たべものいがいの　マスは　とおりぬけることが　できません。

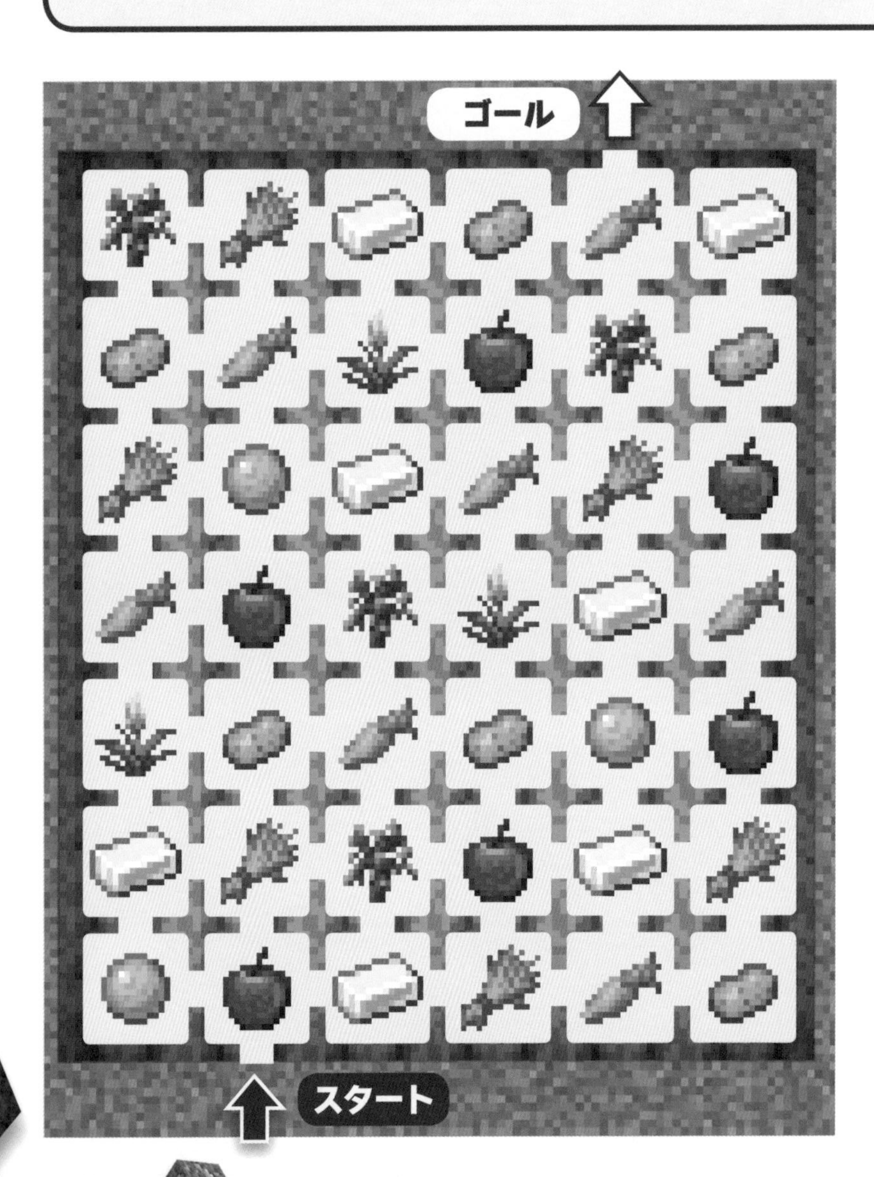

このはたけの
たべものは

ニンジン

ジャガイモ

リンゴ

小麦

だけだよ！

02 ちがう　おにくは　どれ？

スティーブと　アレックスは　おにくを　いっぱい　わけて　もらいました。しかし、よく見(み)ると　スティーブと　アレックスで　もらっている　おにくが　ちがうようです。ふたりの　おにくが　ちがうマスを　3つ　見(み)つけましょう。

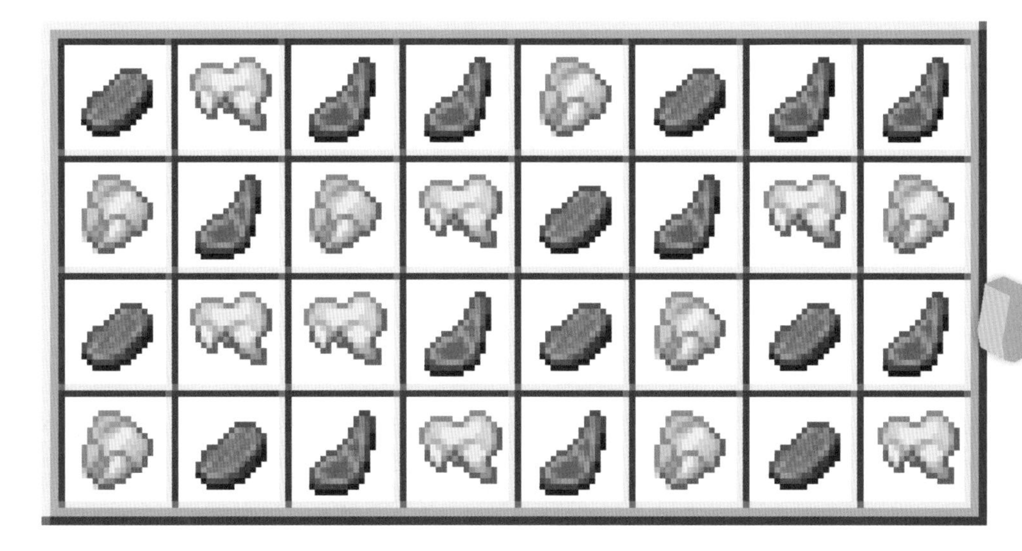

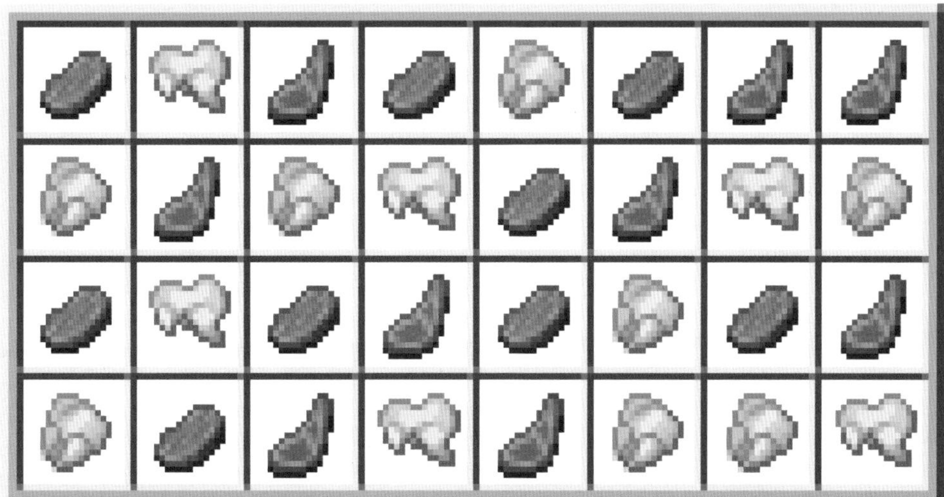

あつめた　にくや　やさいで
いろいろな　たべものが　できたよ！
これで　ぼうけんの　あいだは
しょくりょうの　しんぱいが　ないね！

クリアした日(ひ)

月(がつ)　日(にち)

#06

― むずかしさ ▶ ☆☆☆☆☆

森林探検家の地図を　手に入れよう

でんせつの　そうびの　ひとつ　「でんせつのかぶと」がある
森の洋館に　いくためには、製図家が　もつ　「探検家の地図」が
ひつようじゃ。村人との　とりひきで　手に入れよう！

01 製図家を　見つけよう

探検家の地図は、村に　すんでいる　製図家が　もっています。
まずは、製図家を　見つけましょう。下の　しゃしんの
どこかに　製図家が　いるはずです。製図家を　見つけて
○で　かこんで　みましょう。

製図家

02 製図家と　地図を　とりひきしよう

探検家の地図は、製図家と　とりひきすれば　手に入ります。ほかの　村人たちと　とりひきして　製図家が　ほしいものを　手に入れる　ためには　どの　じゅんばんで　とりひきすれば　いいでしょうか？

さいしょの　アイテム

棒

A

ちょうど　コンパスが　あまっているな。エメラルドを　もっているなら　こうかんするよ

エメラルド → コンパス

B

しごとが　おわったので　焼き鳥が　たべたいな。わたしの　エメラルドと　とりかえないか？

焼き鳥 → エメラルド

C

この焼き鳥が　ほしいのかい？　そうだなあ、釣竿を　もっているなら　こうかんして　あげるよ

釣竿 → 焼き鳥

D

探検家の地図が　ほしいのかね？　コンパスが　こわれたところなので、それと　こうかんしよう

コンパス → 探検家の地図

E

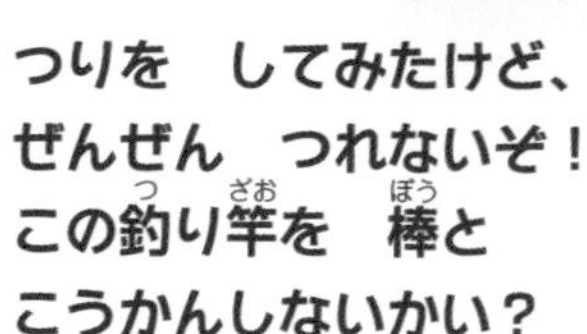

つりを　してみたけど、ぜんぜん　つれないぞ！　この釣り竿を　棒と　こうかんしないかい？

棒 → 釣竿

答え.　□ → □ → □ → □ → □　のじゅんで　とりひき

クリア！

探検家の地図が　手に入った！　これが　あれば、森の洋館に　たどりつくことが　できるはず。ここからが　ぼうけんの　ほんばんだ！

探検家の地図を　ゲット！

クリアした日

月　日

#07

— むずかしさ ▶ ☆☆☆☆☆

てきの　しゅうげきから　村(むら)を　まもれ！

村(むら)を　出(で)ようと　したとき、ピリジャーの　しゅうだんが　村(むら)を
おそってきおった！　村人(むらびと)たちを　まもるためにも、ここは
たたかうべきじゃろう。しゅうげきしゃを　げきたいするんじゃ！

01 すべての　村人(むらびと)を　たすけよう

ピリジャー　の　まえを　とおると、クロスボウを　うってきます。
クロスボウに　あたらないように、すべての　村人(むらびと)　を　ひろって　ゴールまで
にげましょう。ただし、いちど　とおったマスは　とおることが　できません。
ピリジャーの　クロスボウは　かべまで　とどきます。

クロスボウのはんい

クロスボウの　こうげきは、かべまでの　しょうめんの　すべての
マスに　とどきます

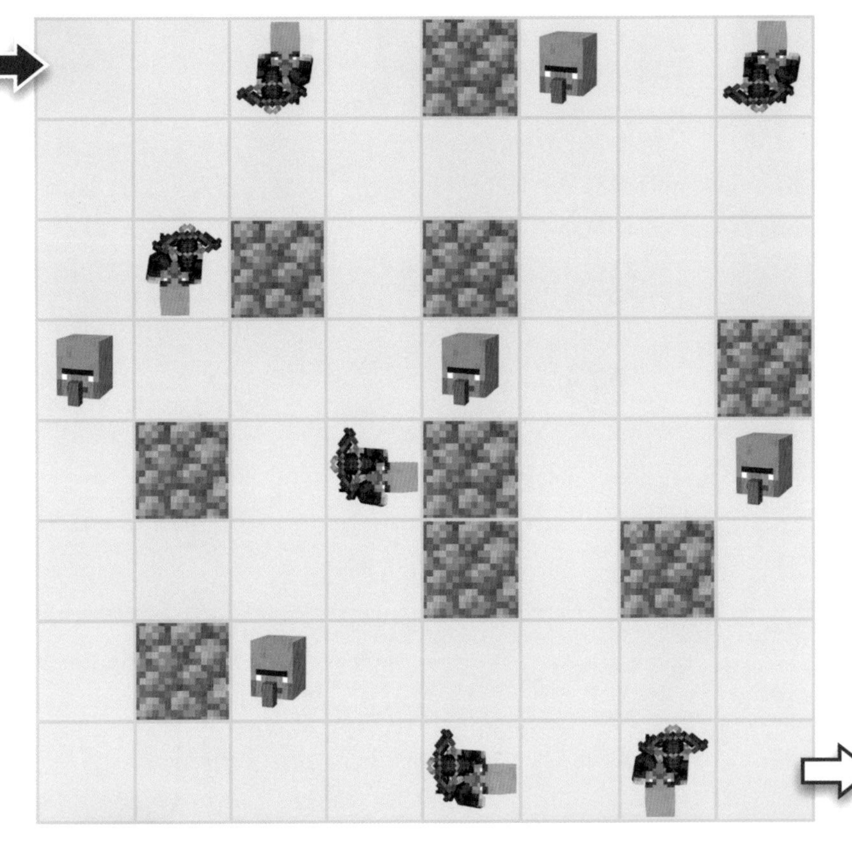

ヒント！

クロスボウが
とどくマスに
×マークを
つけてから
かんがえると
すこしラクに
なるかも！

02 ボスを　たおせる　アイアンゴーレムは?

アイアンゴーレムに　しじを　だして、しゅうげきしゃの　ボスを　たおしましょう。アイアンゴーレムは、あしもとの　やじるし➡の　ほうこうにしか　いどうできません。ちゅうしんに　いる　しゅうげきしゃの　ボスに　たどりつけるのはA～Dのうち、どのアイアンゴーレムでしょうか?

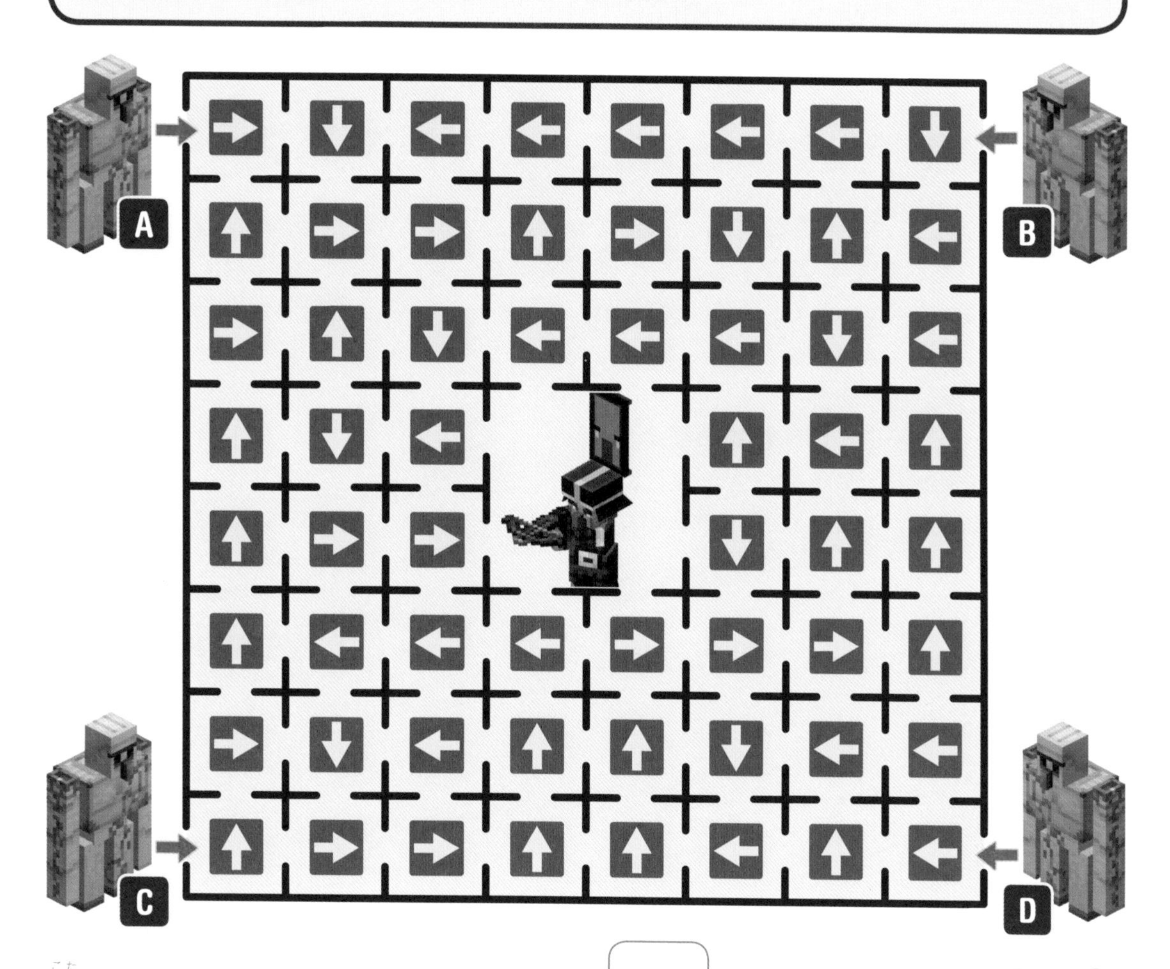

答え. ボスに　たどりつける　ゴーレムは

アイアンゴーレムは、村を　まもる　みかたの　モンスター!
きょうりょくして　しゅうげきしゃの　ボスを　たおそう!

クリア!

村を　おそった　やつらは
ぜんいん　にげていったぞ!
これでもう、この村は　あんしんだ!

しゅうげきしゃを げきたい!

クリアした日

月　日

#08

— むずかしさ ▸ ☆☆☆☆☆

ぬまちの　スライムに　きをつけろ！

ぬまちには、スライムという　モンスターが　しゅつげんする。
こうげきしても　ぶんれつして　なかなか　たおせない
やっかいな　ヤツじゃ！　むりな　たたかいは　さけるんじゃよ！

01 スライムは　どこに　かくれてる？

ぬまちの　どこかに　3びきの　スライム が　かくれています。しゅういの
8マスの　どこかに　スライムが　いるマスには、すう字が　かかれています。
スライムが　かくれているマス　ぜんぶに　○を　つけてみましょう。

スライムは、もりあがっている
マスの　どこかに　かくれています。
マスの　なかの　すう字は、しゅういに
かくれている　スライムの　かずです

例1

		スライム
	1	

例2

	スライム	
	2	
スライム		

1			1	
1			1	
1	1	2	1	1
		1		
		1		

ヒント！

たとえば、このカタチ

	1	
	1	1

なら、右上のマスに
スライムが　かくれて
いることは　かくじつ
だよね！
こんなふうに、ぜった
い　スライムがいるマ
スを　見つけてから、
ほかのマスを　すいり
していこう！

02 スライムの　ぬまを　とおりぬけよう!

スライムは、ちかづくと　ぶんれつする　やっかいな　モンスターです。スライムに　ぶつからないように、ゴールに　むかいましょう。なお、木はとおりぬけることが　できません。

スライムは、ちかづくと　上・左下・右下の3ほうこうに　ぶんれつして　4ひきになります。ぶんれつした　スライム　にもぶつかっては　いけません。

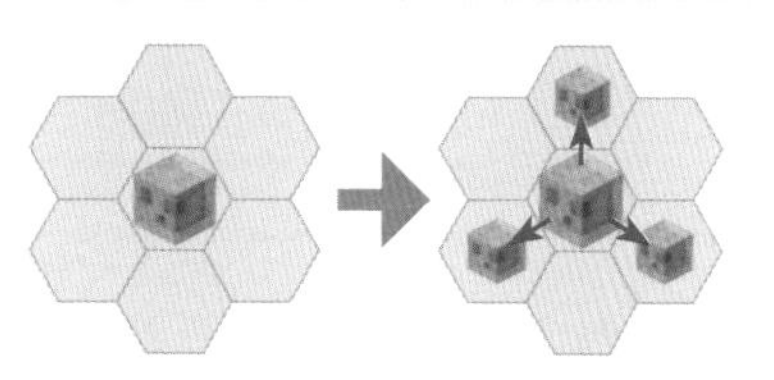

ゴール

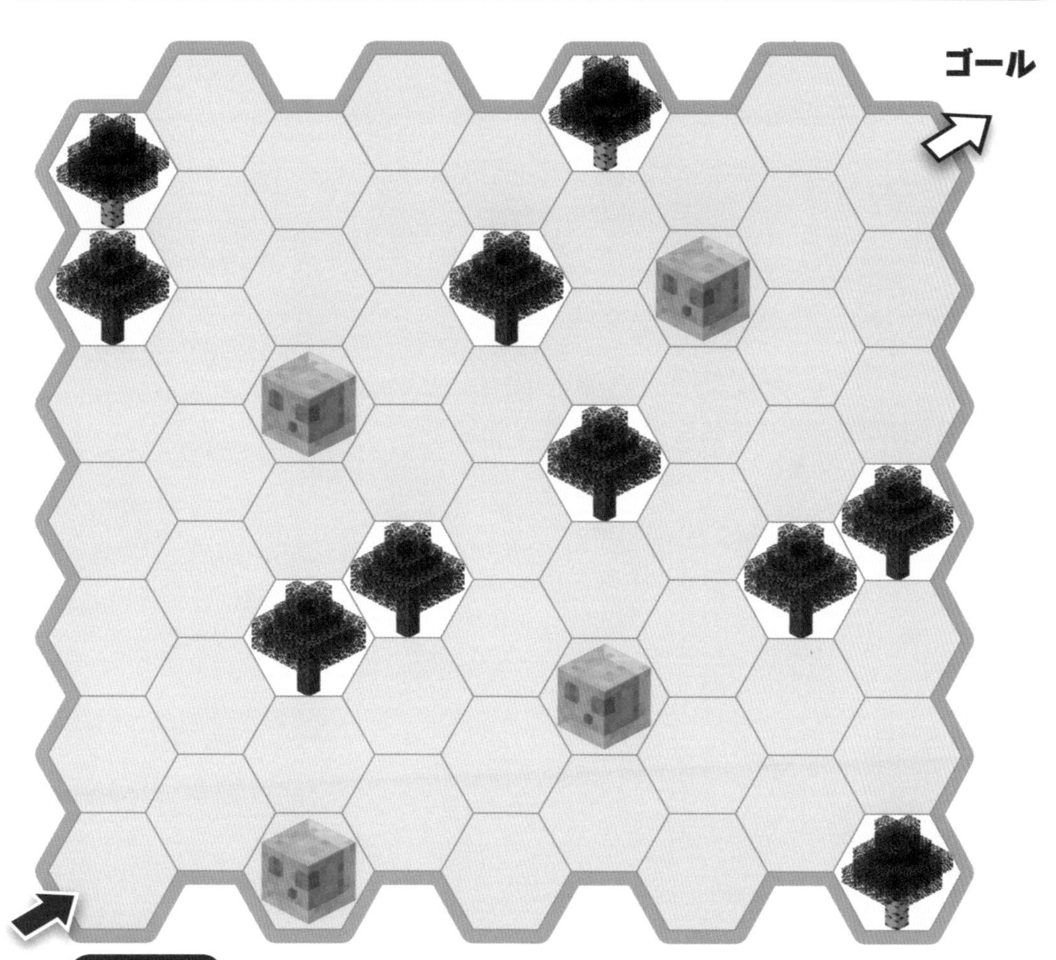

スタート

むらがる　スライムをふりきって、ぬまちを　ぶじにだっしゅつ　することができた！

スライムのぬまちをとっぱ!

クリアした日

月　日

#09

— むずかしさ ▶ ☆☆☆☆☆

さばくの村で　ラクダを　手に入れよう

たびを　するなら　のりものが　あったほうが　べんりじゃな！
ラクダは　2人で　のれるから、こんかいの　ぼうけんに　ピッタリ
じゃよ。ラクダは　さばくの村で　見つけることが　できるぞ。

01　さばくの村の　まちがいを　さがそう

下の　しゃしんは、さばくの村の　ふうけいですが、上下で　ちがうところが
7つ　あります。まちがって　いるところを　ぜんぶ　○で　かこんでみましょう。

02 ふたごの　ラクダを　見つけよう

村人の　1人が「ふたごの　ラクダの　かたほうを　あげるよ。ただし、どの
ラクダが　ふたごなのか　わかればね」と　いいました。ふたごの　ラクダは、
どちらも　おなじポーズを　しているそうです。Aと　Bのラクダで、
それぞれ　おなじポーズの　ふたごを　見つけて　○で　かこみましょう。

2人で　のることが　できる
ラクダを　手に入れた！　これで
もっと　とおくまで　ぼうけん
することが　できるね！

クリアした日

月　日

#10

— むずかしさ ▸ ☆☆☆☆☆

さばくの　ピラミッドを　こうりゃく!

さばくで　たまに　見つかる　ピラミッドには、たからばこが
かくされておる。じゃが、わなが　あるエリアを　こえなければ、
たからは　手に入らないぞ！

01 せいかいの　ピースを　見つけよう!

したの　しゃしんは　さばくの　ピラミッドを　見つけたときの　ものです。
あいてるばしょに　入る　ただしい　ピースを　A～Dから　えらびましょう。

ヒント!

のこっている
パズルの
ピースを
よく見て、
えがらの
上下左右が
つながってるか
しっかりと
かくにんを
しよう！

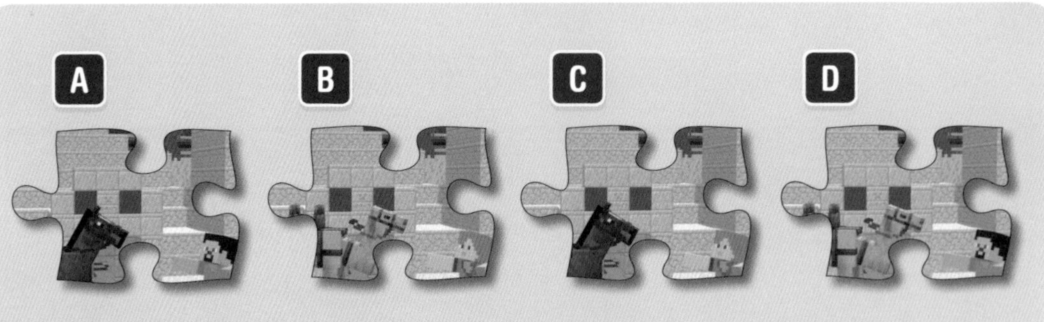

02 いろちがいの　マスを　こうごに　すすめ！

たからばこを　手に入れには、わなエリアを　ぬけないと　いけません。ゆかの　いろが　おなじマスを　れんぞくで　ふむと　わなが　さどうします。ちゃいろの　マスと　きいろのマスを　こうごに　ふみながら　ゴールまで　むかいましょう。

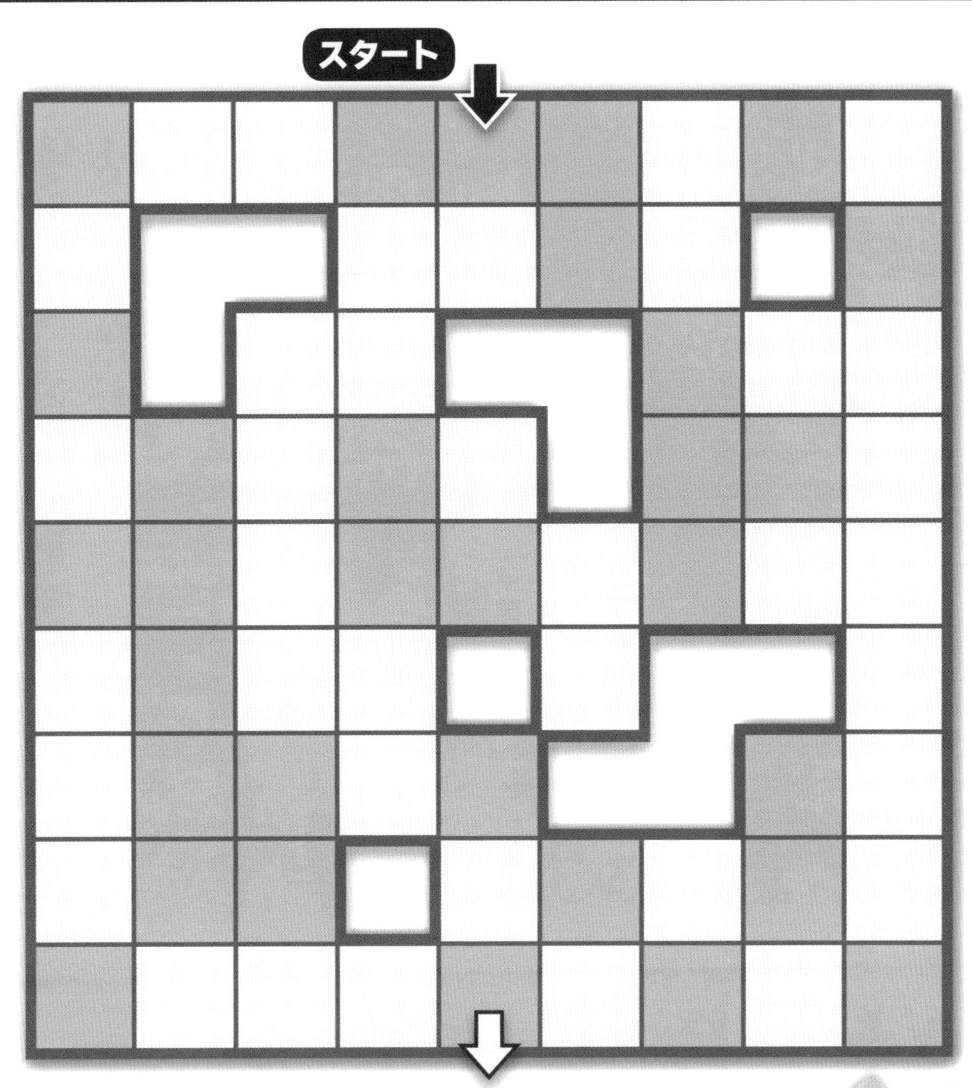

ゴール

おたからは
いただきね！

たべれば　いつもより　ダメージを　うけなくなるという　金のリンゴを　手に入れた！　こんごの　ぼうけんで　きっと　やくに　たつはずだ！

金のリンゴゲット！

クリアした日

月　日

11

― むずかしさ ▶ ☆☆☆☆☆

森(もり)の洋館(ようかん)に　入(はい)りこもう!

いよいよ　森(もり)の洋館(ようかん)に　ちかづいて　きたようじゃ！　森(もり)の洋館(ようかん)は
もりの　おくふかくに　あるので、洋館(ようかん)の　なかも　そとも
モンスターだらけじゃ！　くれぐれも　きをつけるんじゃよ！

01 森(もり)の洋館(ようかん)への　みちを　さがそう

森(もり)の洋館(ようかん)に　行(い)くための　みちは、アミダに　なっています。森(もり)の洋館(ようかん)に
たどりつくためには、A~Eの　どこから　スタートすれば　いいでしょうか？

アミダのルール　まがれるみちは、かならず　まがらないと
いけません。また、Uターンは　できません

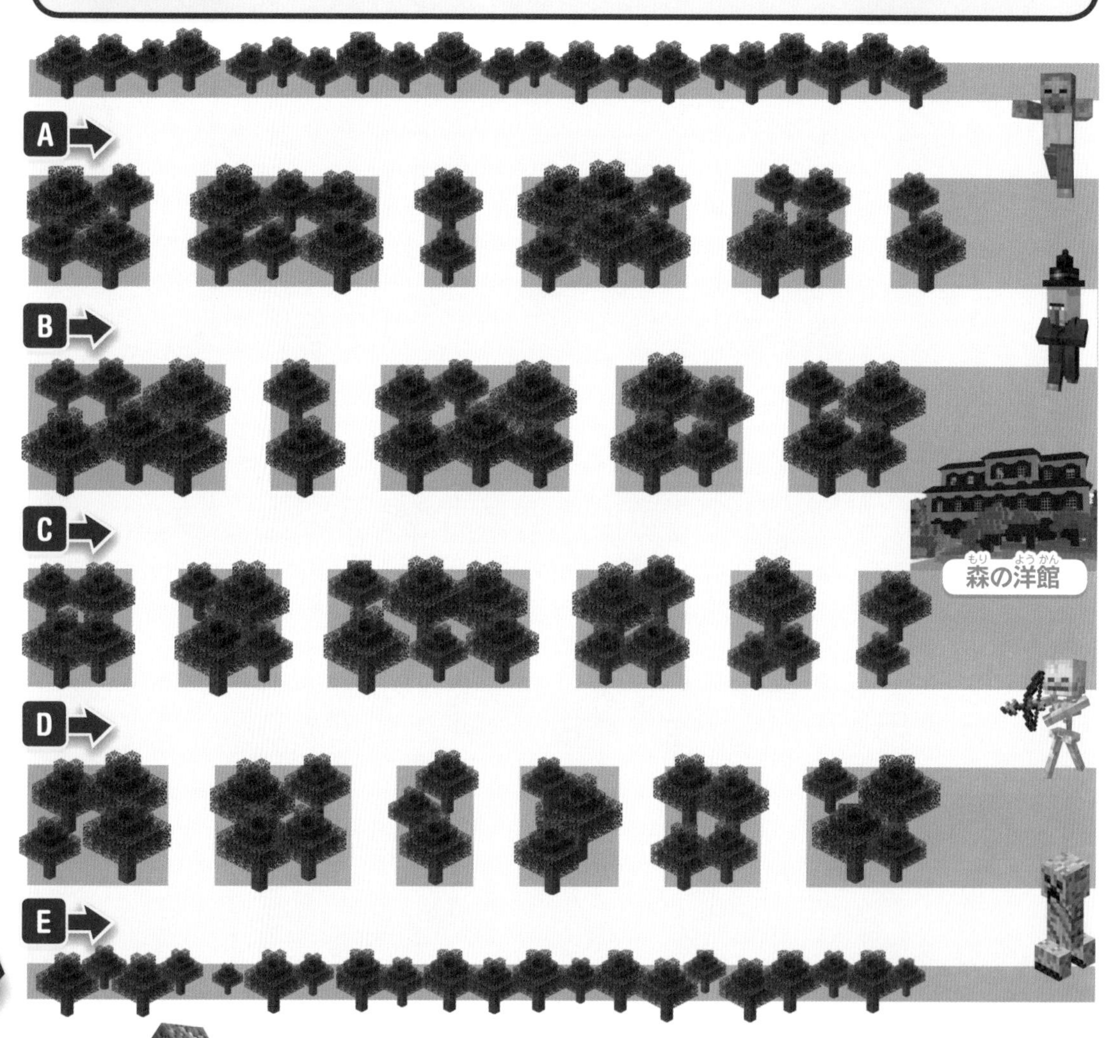

02 森の洋館の　ないぶを　チェック！

森の洋館に　ぶじ　たどりつきました。洋館の　中は　かなりひろく、たくさんの　へやが　あるようです。左上の　見ほんと　おなじカタチの　へやを　さがして　□で　かこんでみましょう。

見ほん

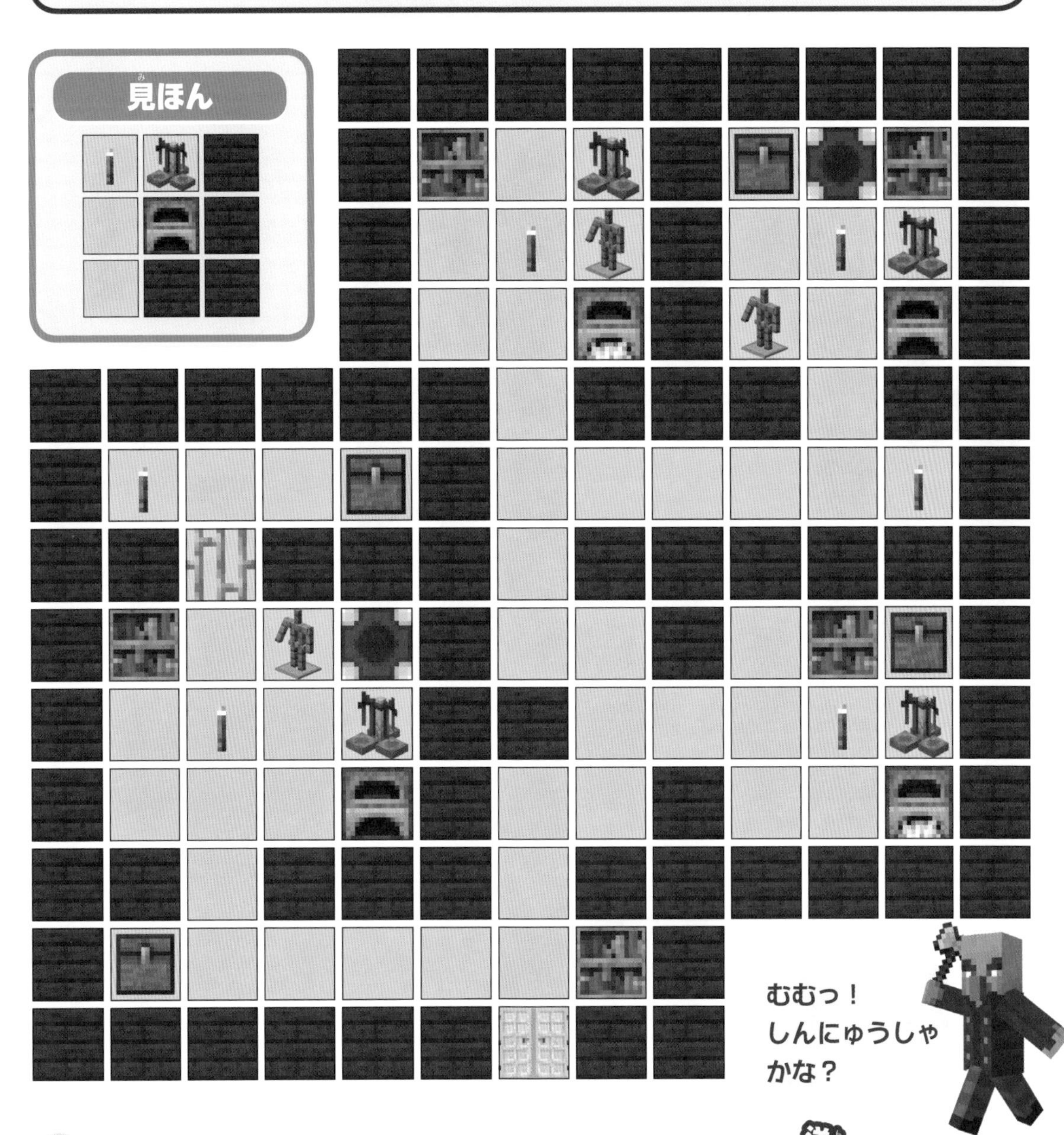

クリア！

ついに　森の洋館に　たどりつく　ことが　できた！　でんせつの　そうびを　もつ　モンスターは　もうすぐそこだ！

洋館にしんにゅうせいこう！

クリアした日

月　日

#12

— むずかしさ ▶ ☆☆☆☆☆

森の洋館の　ボスモンスターを　たおせ！

「でんせつのかぶと」は、森の洋館の　ボスである　まじゅつしエヴォーカーが　もっているらしい。エヴォーカーは　するどいきばを　しょうかんするので、きを　ひきしめて　かかるんじゃ！

01 モンスターの　しょうたいを　あばけ！

森の洋館には、おおくの　モンスターが　います。モンスターの　くうはくになっているぶぶんに　あてはまる　パーツを　A～Fから　えらびましょう。

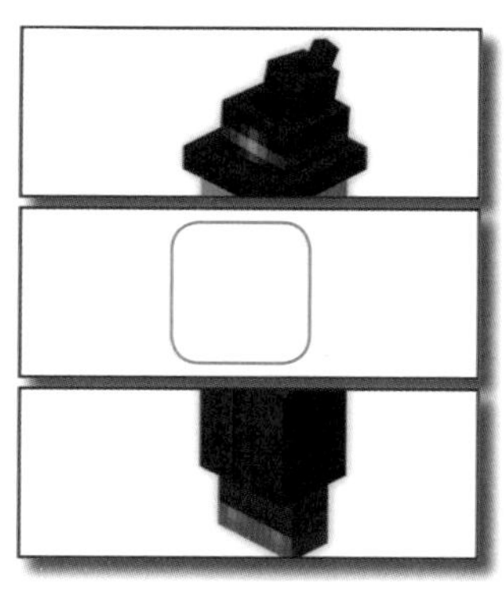

A

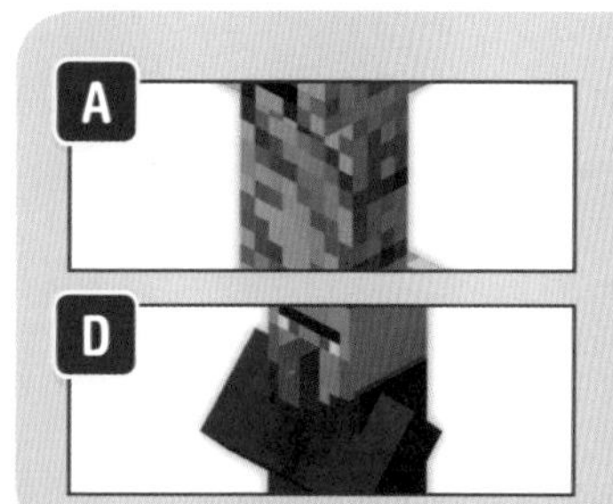

B

C

D

E

F

02 まじゅつし　エヴォーカーを　たおせ!

森(もり)の洋館(ようかん)の　ボス、エヴォーカーが　あらわれました！　まほうで　じめんから　きょだいな　きばを　しょうかんしてきます。きばの　上下左右(じょうげさゆう)の　マスを　とおると　かみつかれます。かみつかれないように、ゴールまで　いきましょう。

きばが　かみつく　はんい

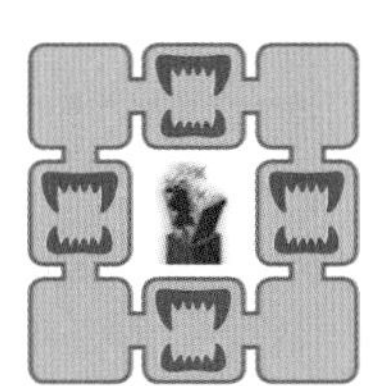

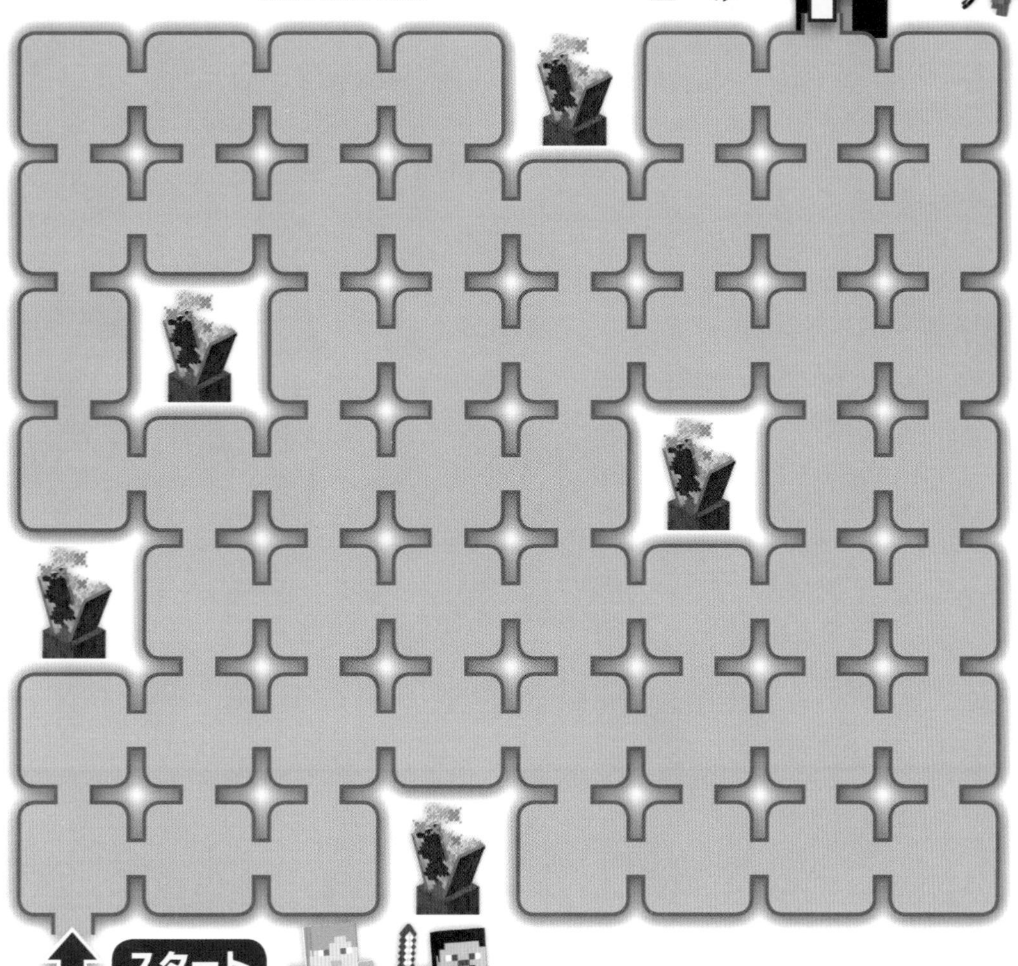

クリア!

エヴォーカーを　たおして、ついに　でんせつのかぶとを　ゲットした！　このいきおいで、ほかの　でんせつ　そうびも　手(て)に入(い)れよう！

クリアした日(ひ)

月(がつ)　日(にち)

#13

— むずかしさ ▶ ☆☆☆☆☆

さかなを　つってみよう!

つりざおを　つかって　つりをすると、いろいろな　さかなや
アイテムを　つりあげることが　できるのじゃ。さかなを　つって
ぼうけんのための　しょくりょうに　しよう！

01 いちばん　さかなが　つれるばしょを　さがそう

つりざおで　さかな をつろうと　おもいます。つりざおで　うき を
なげ入れたマスと　まわりのマスが　さかなを　つれるはんいに　なります。
いちばん　おおく　さかなを　つるには　どのばしょに　うきを　なげ入れれば
よいでしょうか？　うきのばしょに　○をつけましょう。

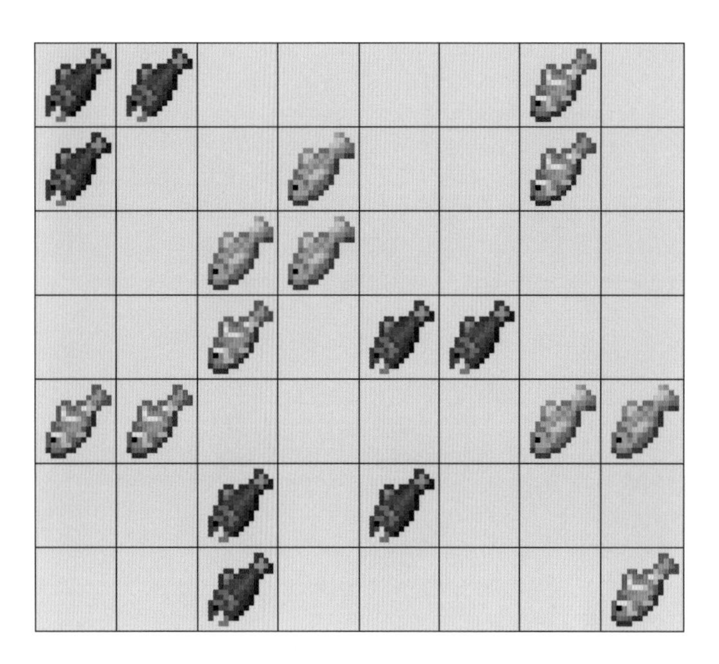

さかなが　つれるはんい

うきを　入れたばしょと
まわりのマスの　9マスが
さかなを　つれる　マスに
なります。

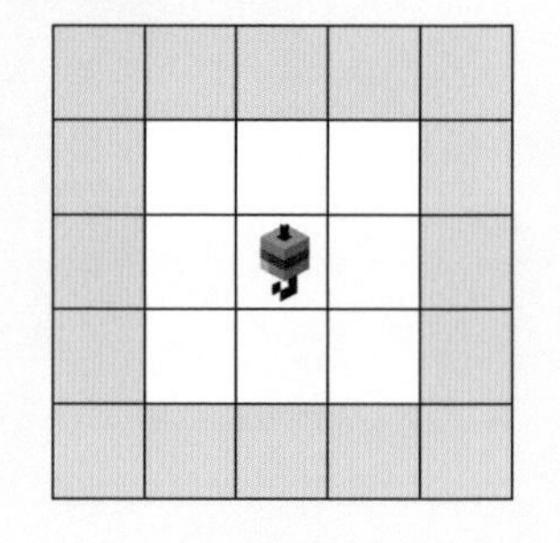

ヒント!

さかなの　いるマスにも　うきを　なげ入れられるよ。
さかなの　しゅるいは　きにしなくて　いいからね！

02 はずれアイテムを　つらないように　つりをしよう

さかなが　たくさんいる　ばしょを　見つけました。しかし、はずれアイテムも　たくさん　あるようです。はずれアイテムを　つりのはんいに　いれないようにして　いちばん　おおく　さかなが　つれる　うきのばしょに　○をつけましょう。

はずれアイテム

骨

棒

腐った肉

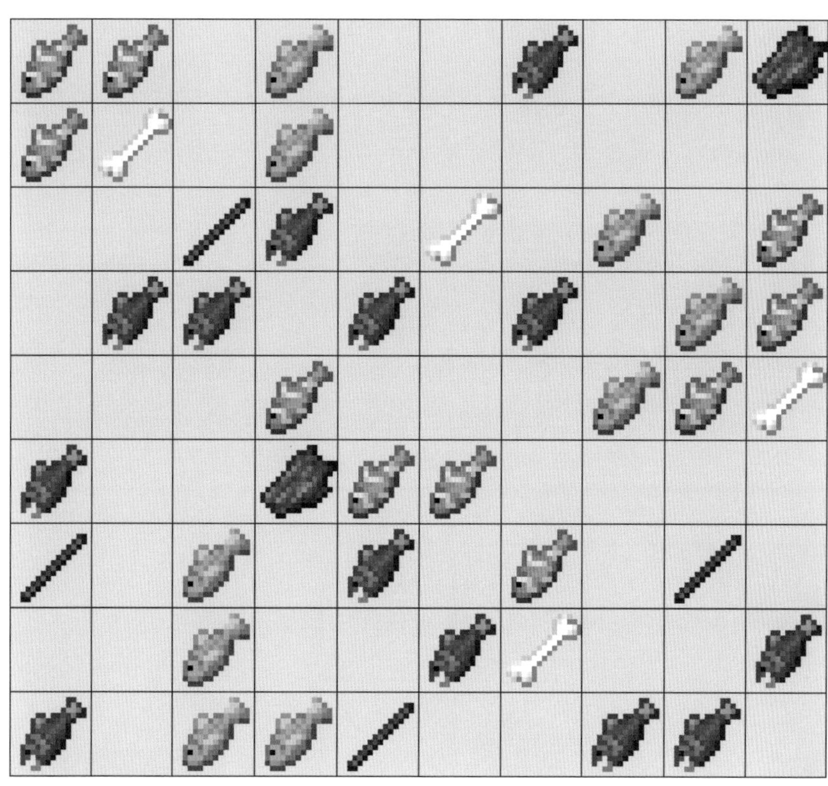

さかながおおく　つれるばしょでも　はずれアイテムが　9マスのなかに　入ってしまうと　つることが　できなくなるよ！

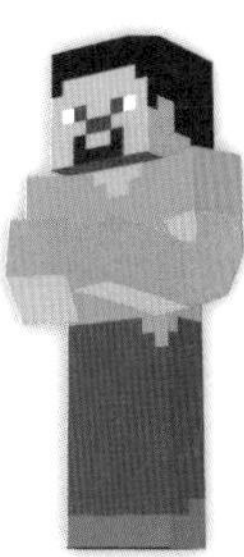

さかなを　たくさん
つりあげた！　これからの
ぼうけんで　たべるものに
こまらなく　なったぞ！

クリアした日

月　　日

#14

— むずかしさ ▶ ☆☆☆☆☆

カメのたまごを　まもろう!

すなはまで　カメのたまごを　見(み)かけたら、ゾンビから
まもってあげよう！　やくにたつ　アイテムが　もらえるぞ！

01 カメの　ペアをつくろう

ならんでいる　カメのなかで、おなじいろのマスに
いるカメを　えらんで　せんで　つなぎましょう。

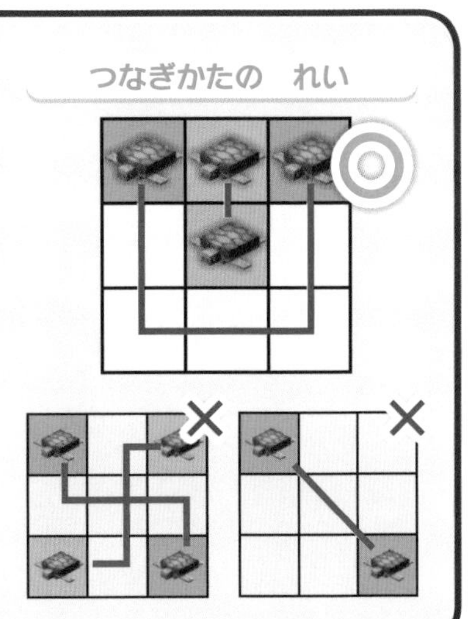

せんをひくときの　ちゅういてん

せんは　1マスに　1ぽんしか　ひけません。
また、せんが　こうさ　したり　ななめに
すすむことも　できません。

ヒント!
あかいろの　カメを　さい
ごに　つなぐと　かんたん
だよ！

02 カメのたまごを　まもろう!

カメが　うんだ　たまごは　ゾンビが　こうげき　してきます。柵を　つないで　たまごを　まもりましょう。下の　しゃしんの　あいている　ばしょに　A～Cの　パーツから　柵が　つながるものを　えらんで　みましょう。

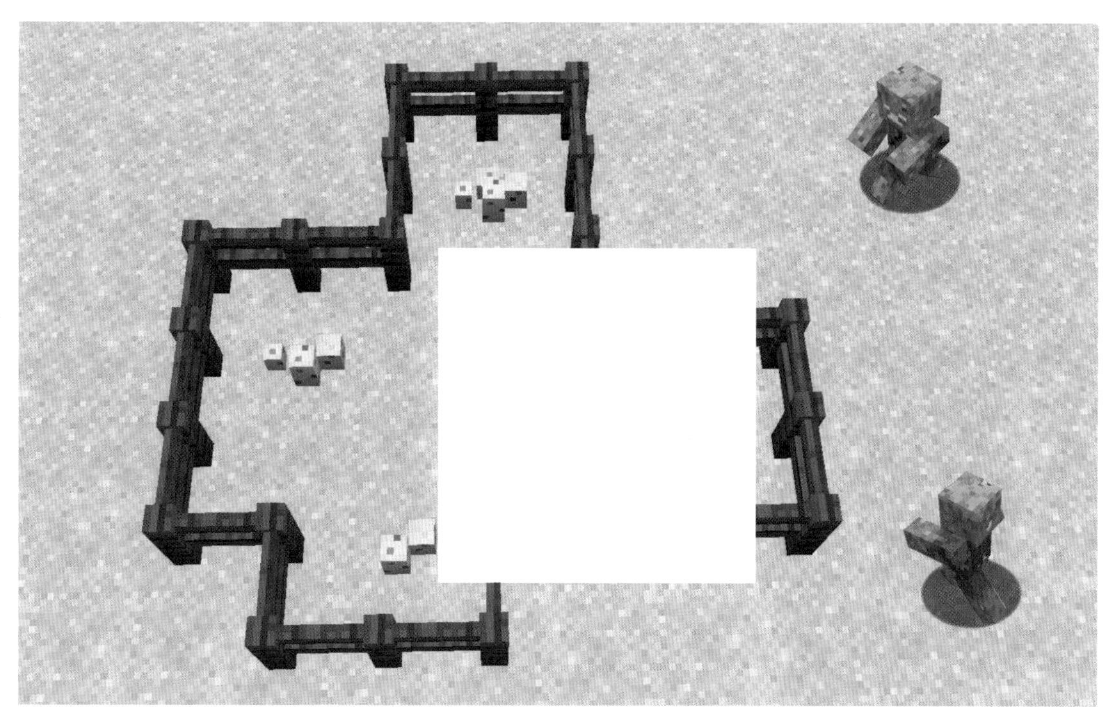

A

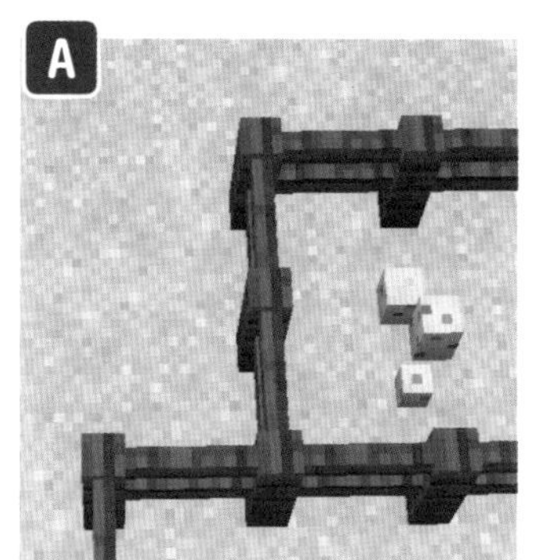

B

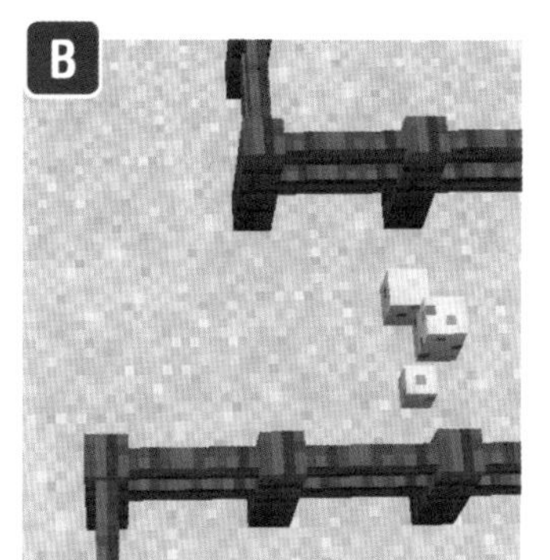

C

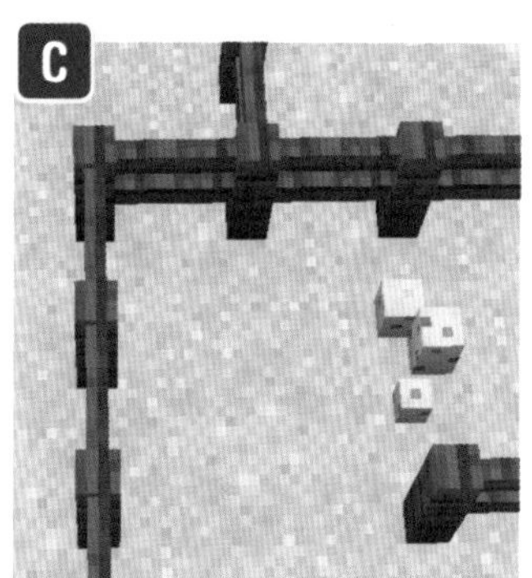

答え. ただしい　しゃしんのパーツは　　　です

たまごを　まもった　おれいに
「カメの甲羅」を　もらったよ!
このヘルメットがあれば　水中で
かつどう　しやすくなるぞ!

カメの甲羅ゲット!

クリア した日

月　日

#15

— むずかしさ ▶ ☆☆☆☆☆

ボートを　つくろう!

海を　たんけんするには　ボートがひつようじゃ！
まずは、木を　きって　ざいりょうを　あつめるのじゃ！

01 ボートを　つくるために　木を　きろう

ボートを　つくるために、木を　きりに　いこうとおもいます。ただし、やじるし➡の　ほうこうにしか　うごけません。A〜Dの　どの　ばしょから　むかうと木まで　たどりつける　でしょうか？

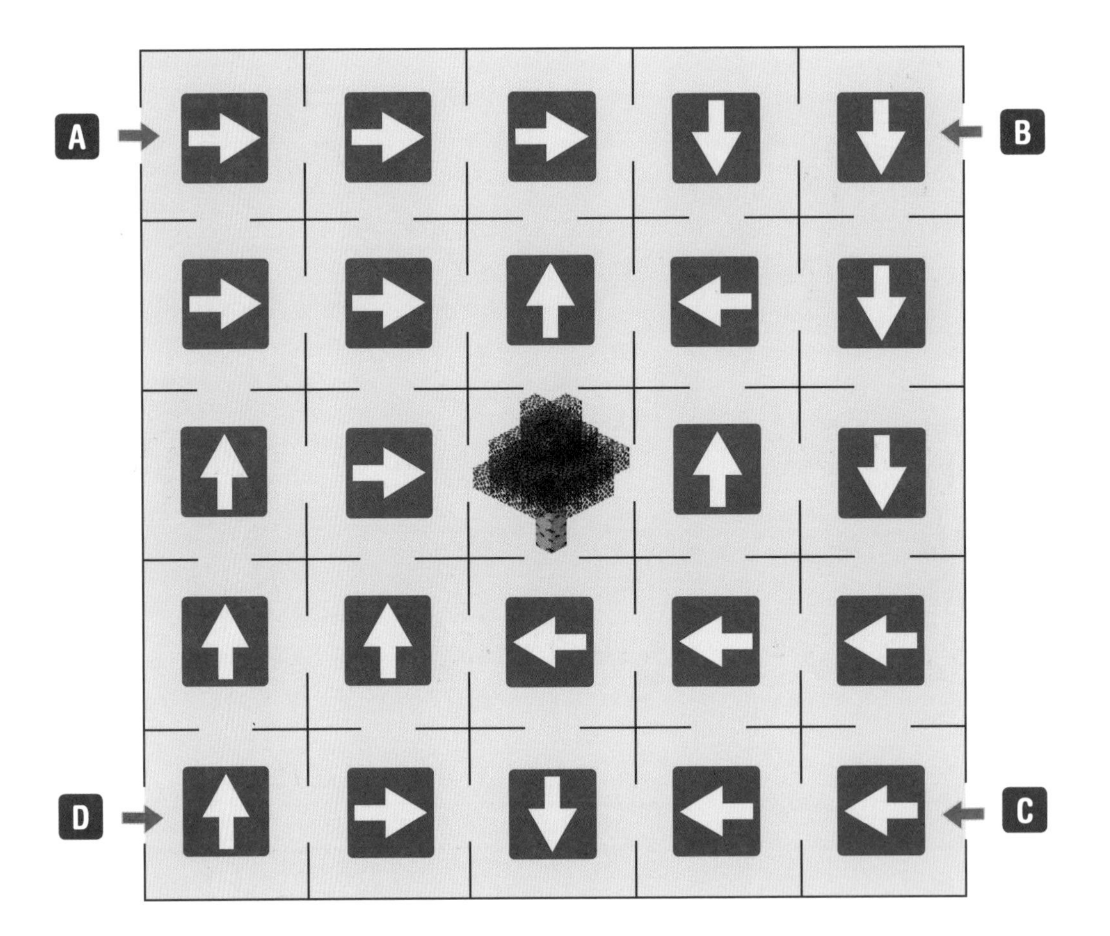

答え. [　　] の　ばしょ

02 スティーブの　ボートを　さがそう

ボートを　みなとに　とめておいたら　どこに　スティーブの　ボートが　あるのかわからなくなって　しまいました。スティーブの　ボートを　さがして　ただしいものに　○を　つけましょう。

スティーブの　ボート

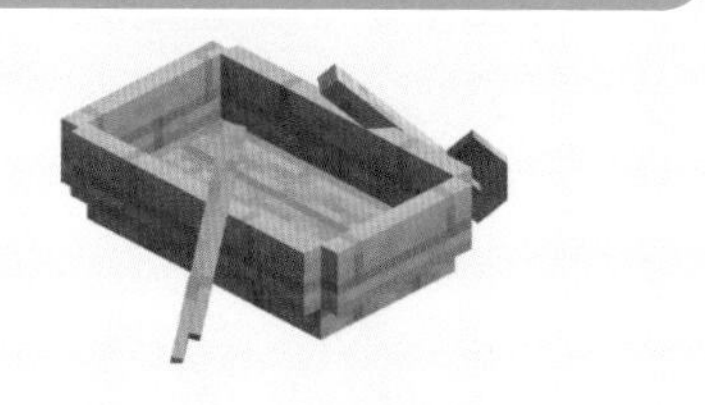

ヒント！

ボートの　むきに　きをつけてただしい　ボートを　さがしてみよう！

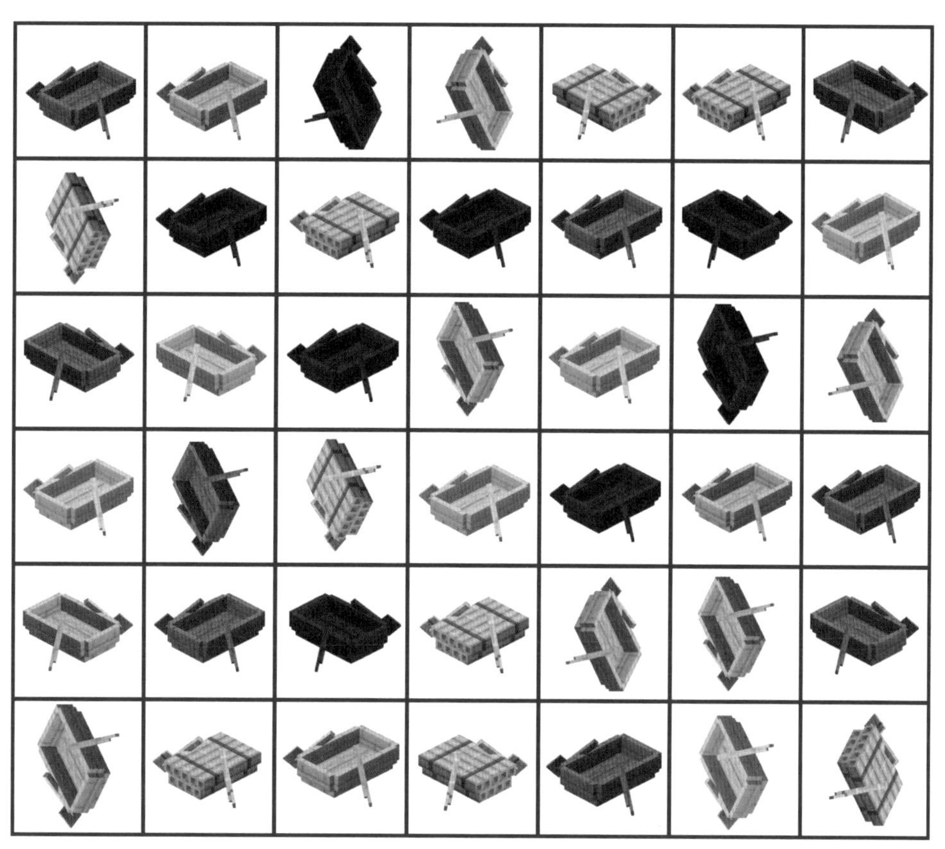

ボートが　手に入ったぞ！
これで　海を　じゆうに
たんけん　できるよ！

ボートをゲット！

クリアした日

月　　日

16

— むずかしさ ▶ ☆☆☆☆☆

水中呼吸のポーションを　つくろう!

海の中を　たんけん　するなら　水中呼吸のポーションを　つくっておくと　べんりじゃ！　水入り瓶を　あつめて　水中呼吸のポーションを　つくっておくのじゃ！

01 水入り瓶を　あつめよう

水中呼吸のポーションを　つくるためには　水入り瓶が　ひつようです。めいろに　おちている　水入り瓶を　10こ　ひろって　ゴールまで　たどりつきましょう。ただし、いちど　とおった　つうろは　とおることが　できません。

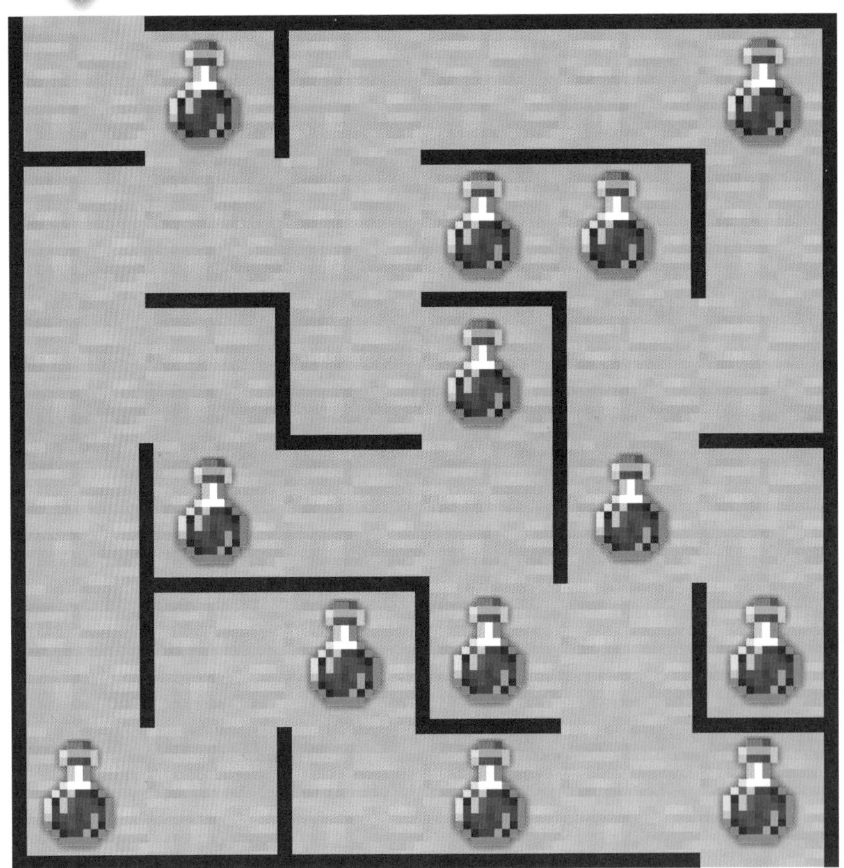

02 水中呼吸のポーションを　さがしだそう!

水中呼吸のポーションを　つくりましたが、どこに　おいたのか　わからなくなってしまいました。アレックスと　スティーブの　かいわ　から　水中呼吸のポーションを　さがしましょう。

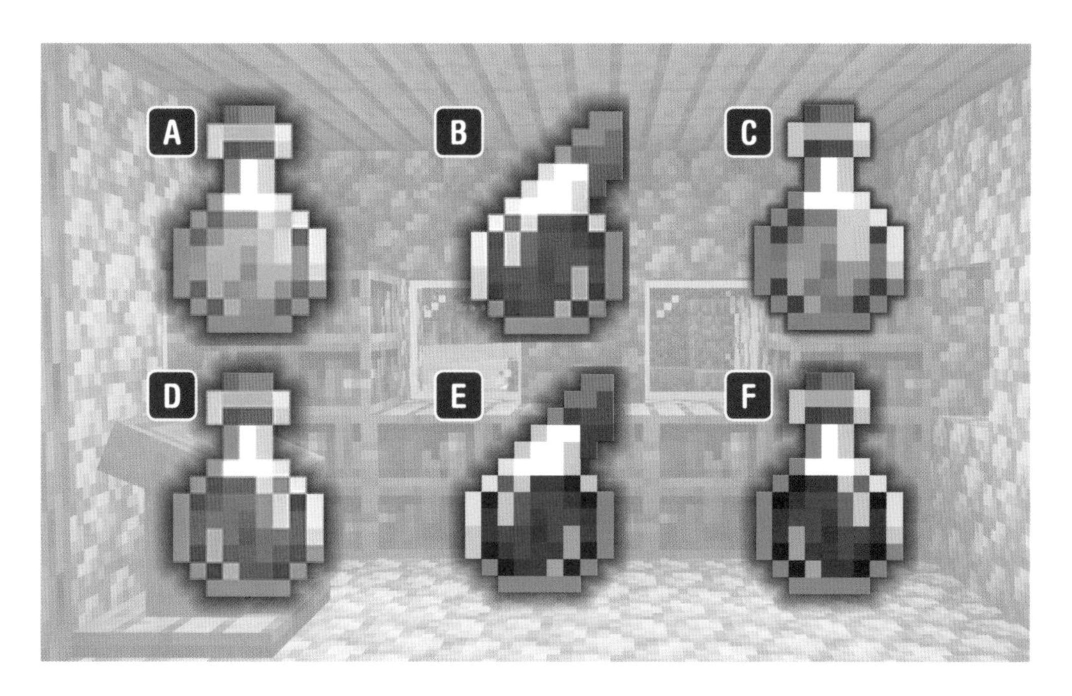

たしか　あかいポーションの　すぐ　ちかくに　おいたわ。

水中呼吸のポーションは上のだんに　あったよ。水入り瓶と　おなじかたちの　瓶だったよ。

答え.　　　のポーション

水中呼吸のポーションをゲット！
水中で　いきが　ながくつづくように　なるぞ！

クリアした日

月　　日

#17

— むずかしさ ▸ ☆☆☆☆☆

イルカに 海を あんないして もらおう!

イルカと なかよくなると 海底遺跡や 難破船に あんないしてくれるのじゃ! いっしょに およいで 海の中を たんけんしよう!

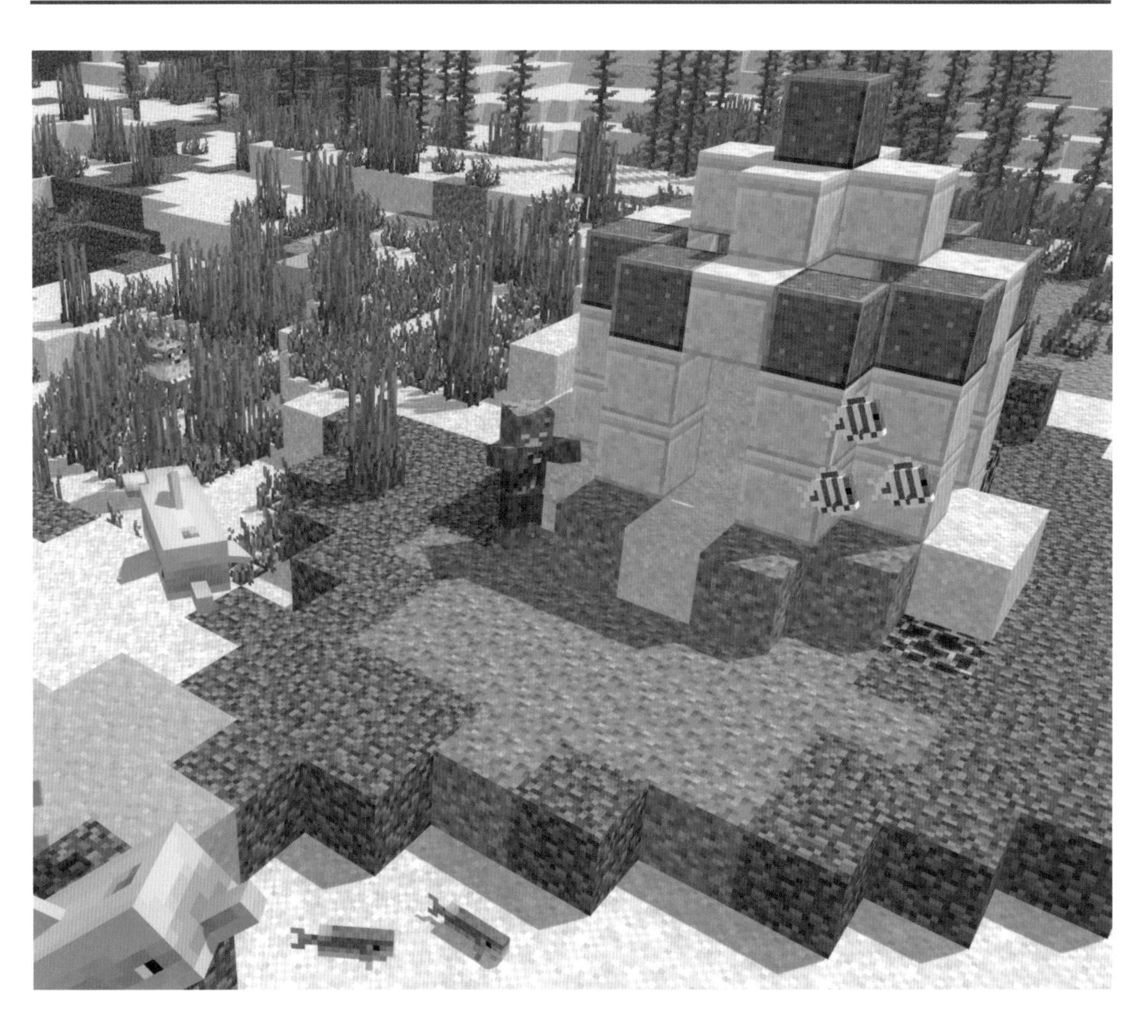

ヒント!

しゃしんに うつっている 海藻や、影には、ちがいがないみたいだよ。

ヒント!

いきものと 海底遺跡の まわりに ちがっている ところが ありそうだね!

海の中の　まちがいを　さがそう!

下の　しゃしんは　海底遺跡や　海のいきものを　うつした　しゃしんに　なります。左右の　しゃしんには　ちがうところが　10こ　あります。まちがっているところを　ぜんぶ　○で　かこみましょう。

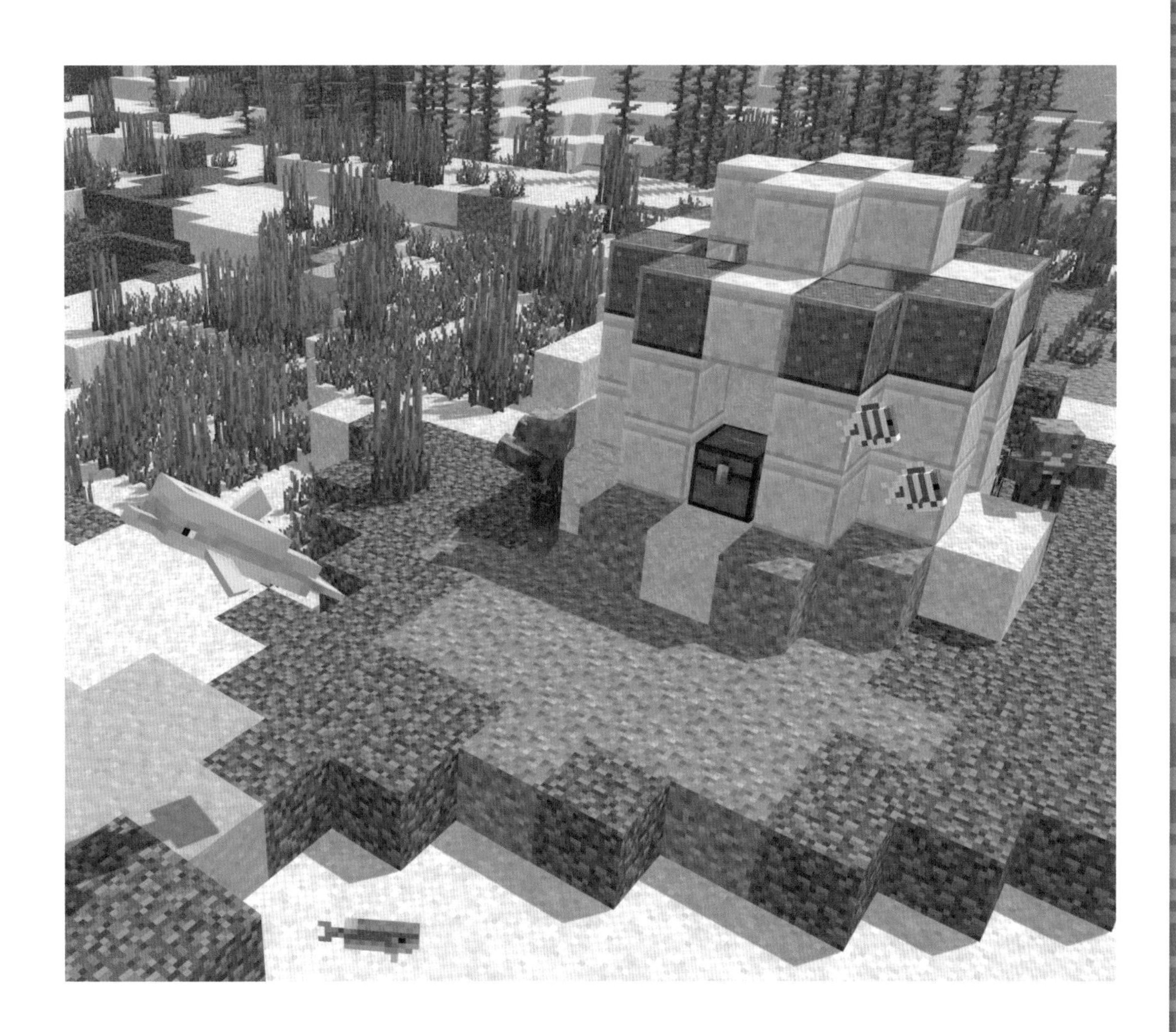

イルカと　いっしょに　およいで海底遺跡に　とうちゃく！レアアイテムが入った　チェストがおいてあるよ！

クリアした日

月　日

1 — むずかしさ ▸ ☆☆☆☆☆

トライデントを　手に入れよう!

トライデントという　つよい　ぶき　を手に入れると　海での
ぼうけんが　らくに　なるぞ！　溺死ゾンビという　モンスターを
たおすと　手に入れることが　できるのじゃ。

01 きそくを　見つけよう

溺死ゾンビを　たおすには、下のもんだいで　きそくを　見つける　ひつようが
あるようです。下のもんだいの　くうはくに　入るアイテムを　A～Dの　きごう
で　えらびましょう。

01

答え.

02

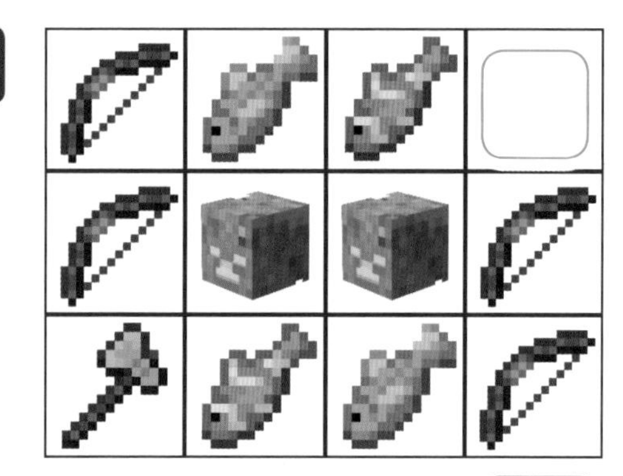

答え.

03

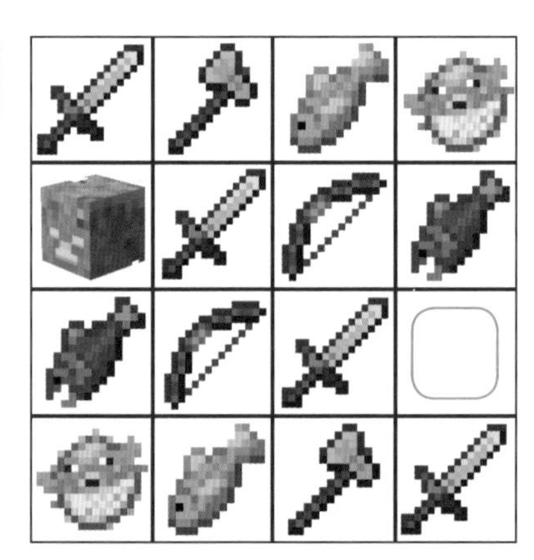

答え.

ヒント!
右と左で　どこに　なにが
あるか　たしかめてみよう！

02 トライデントを　もっているゾンビを　さがそう

トライデントは、トライデントを　手にもっている　溺死ゾンビから　手に入れることが　できます。下の　しゃしんには　トライデントを　手にしている　溺死ゾンビが　3たい　います。さがして　○を　つけましょう。

クリア!

溺死ゾンビから　トライデントを
ゲットしたよ！　これで　うみでの
たたかいも　らくに　なるよ！

トライデントをゲット!

クリアした日

月　日

#19

― むずかしさ ▶ ☆☆☆☆☆

難破船で　宝の地図を　手に入れよう！

海や　かいがんでは　しずんでしまった　難破船を　見かけることも　あるじゃろう。お宝アイテムや　宝の地図を　手に入れることができるぞ！

01 ただしい　ピースを　あてはめよう

難破船の　しゃしんが　1ピース　たりません。たりない　1ピースに、お宝アイテムが　入っている　チェストが　うつっている　ようです。ピースのかたちをよく見て　ただしい　ピースを　A～Cのなかから　さがしましょう。

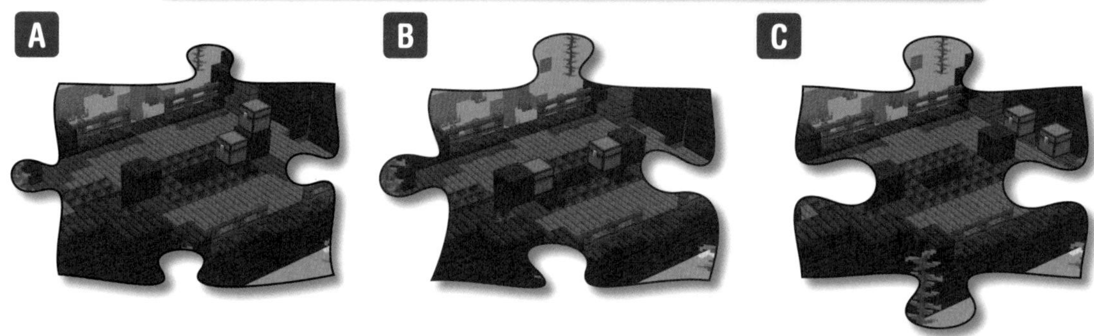

答え．ただしいピースは

02 宝の地図　が入ったチェストを　あてよう

難破船のチェストには、宝の地図が　入っているものも　あります。スティーブが　はなしている　ないようから　宝の地図が　入ったチェストを　あてましょう。

紙
羽根
金インゴット
ダイヤモンド
コンパス

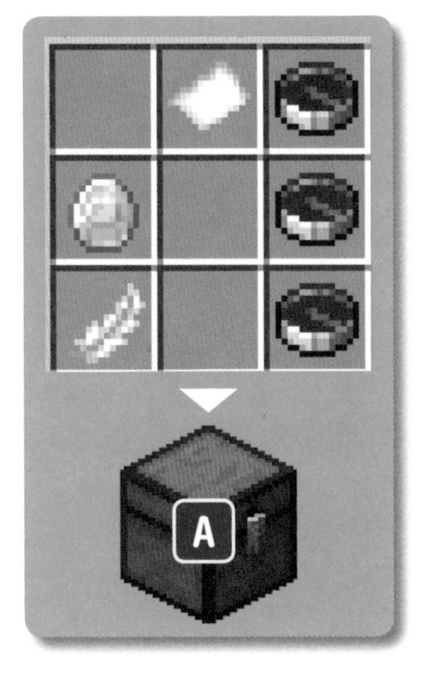

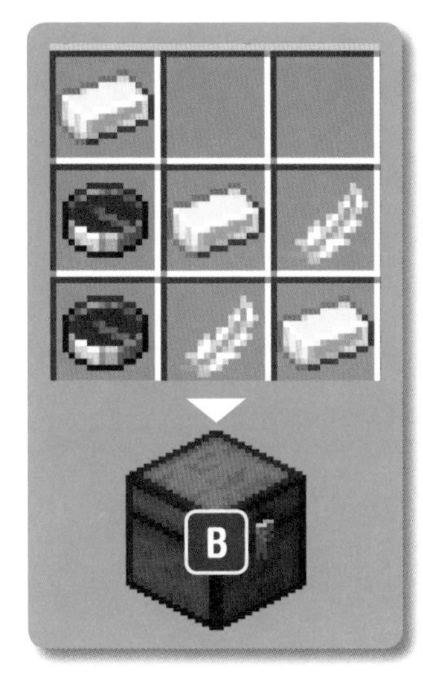

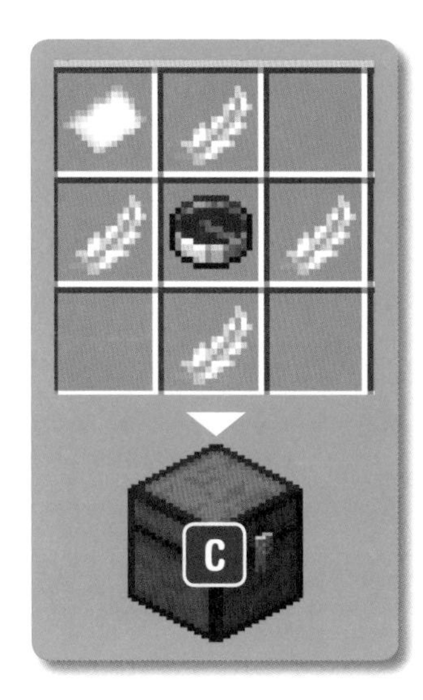

ダイヤモンドが　入っているチェストには　宝の地図は　入ってないよ。コンパスと羽根を　あわせた　かずが　いちばん　おおい　チェストに　入ってるんだ。

答え.宝の地図が入っているのは　　　のチェスト

宝の地図が　さしている　ばしょを　ほったら　「海洋の心」という　アイテムが　手に入ったよ！

クリアした日

月　　日

#20

― むずかしさ ▶ ☆☆☆☆☆

サンゴ礁に　ついたぞ！

あたたかい海には　サンゴ礁が　ある。カラフルな　サンゴブロックが　とてもきれいな　けしきを　うみだしているぞ！

01 サンゴブロックの　かずを　かぞえよう

つみあげられた　サンゴブロックが　あります。いろちがいの　サンゴブロックが　まじって　いますが、ぜんたいで　いくつの　ブロックが　あるか　かぞえて　みましょう。

かぞえかたの　ちゅうい

下のような　ブロックの　おきかたは、おくの　ブロックが　2こ　つみ上がっているので、せいかいは　4こ　です。

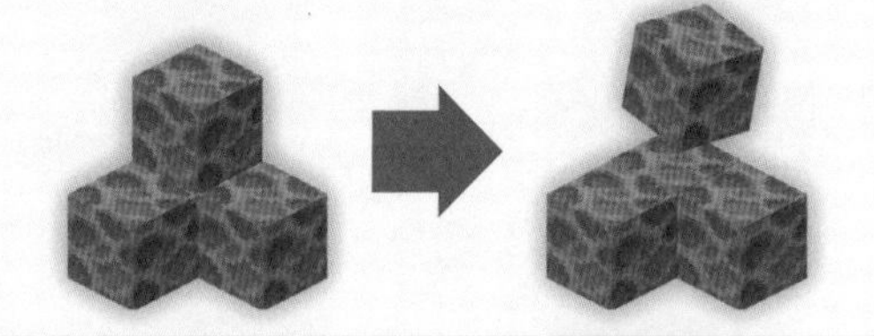

A

答え.　　　こ

B

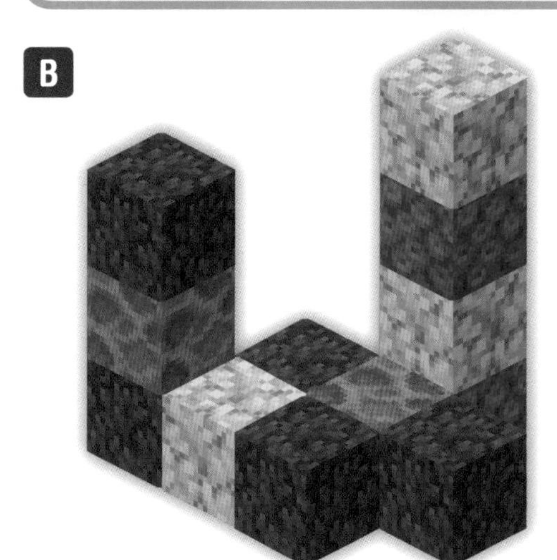

答え.　　　こ

C

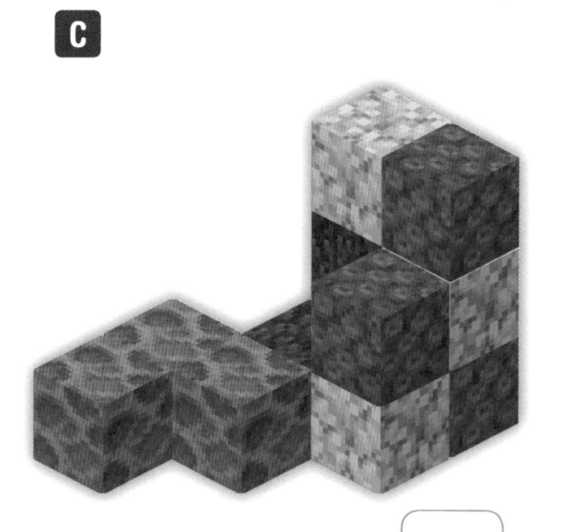

答え.　　　こ

02 サンゴブロックの　くみあわせを　かぞえよう

下の　サンゴブロックには、はいいろに　なった「死んだサンゴブロック」が入っています。死んだサンゴブロックは　かぞえないようにして、サンゴブロックの　かずを　かぞえて　みましょう。死んだサンゴブロックは　見えているブロックだけに　なります。おくの　かさなったブロックには　ありません。

 死んだサンゴブロック

A

答え.　　こ

B

答え.　　こ

C

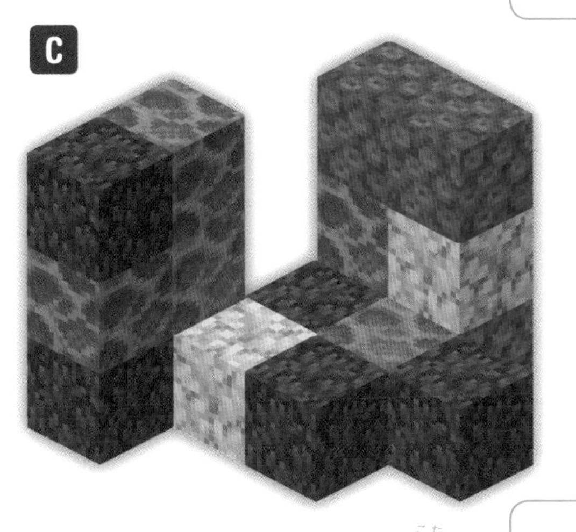

答え.　　こ

死んだサンゴブロックは見えない　ところにはないよ！

きれいな　サンゴ礁の
けしきを　たのしめたよ！
きぶんてんかん　して　ぼう
けんを　つづけよう！

サンゴ礁で きぶんてんかん！

クリアした日

月　日

21

― むずかしさ ▶ ☆☆☆☆☆

海の中を　たんさく　しよう!

海の中には、いろんな　さかなが　およいで　いるのじゃ。
めずらしい　もようの　ねったいぎょ　や　ヒカリイカ　を
さがしてみよう！

01 かくされた　パターンを　さがしだそう

たくさんの　さかなが　むれで　およいでいます。見ほん　と　おなじパターンに
なっている　ばしょが　1かしょ　だけ　あります。おなじ　パターンを　見つけ
て　□で　かこみましょう。

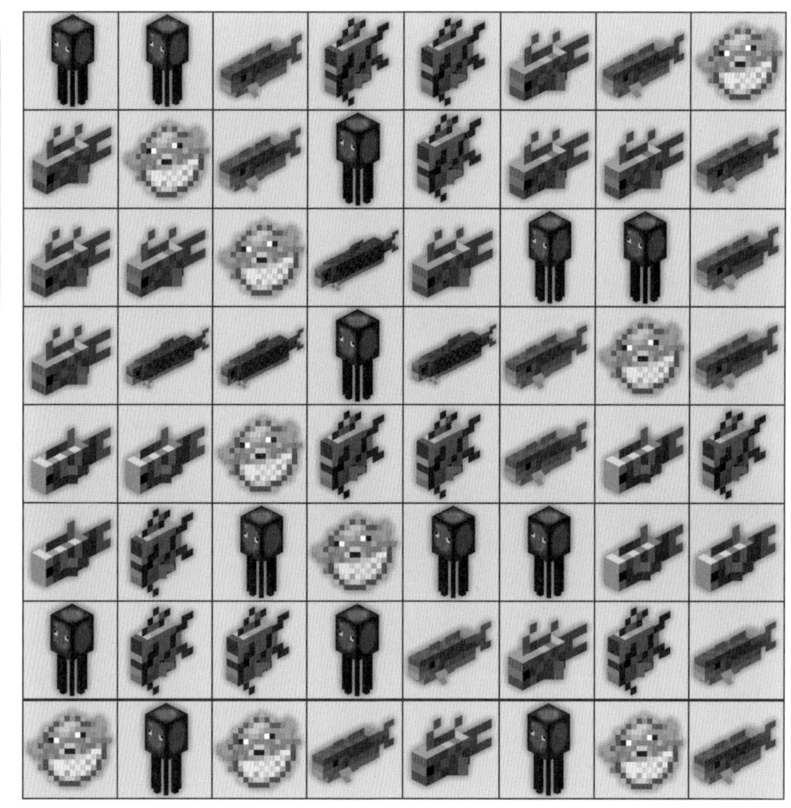

ヒント!

さかなは　むれで　およぐから　イカ　や　フグ　に
ちゅうもくして　さがしてみよう。

02 ヒカリイカを　ぜんぶ　つかまえよう

ヒカリイカは「輝(かがや)くイカスミ」という、めずらしい　アイテムを　もっています。下(した)の　アミダで　ぜんぶ　つかまえられる　ルートは　A〜Eの　どれでしょう？

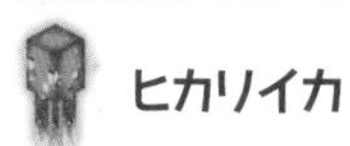

アミダのルール　まがれるみちは、かならず　まがらないと　いけません。また、Uターンは　できません

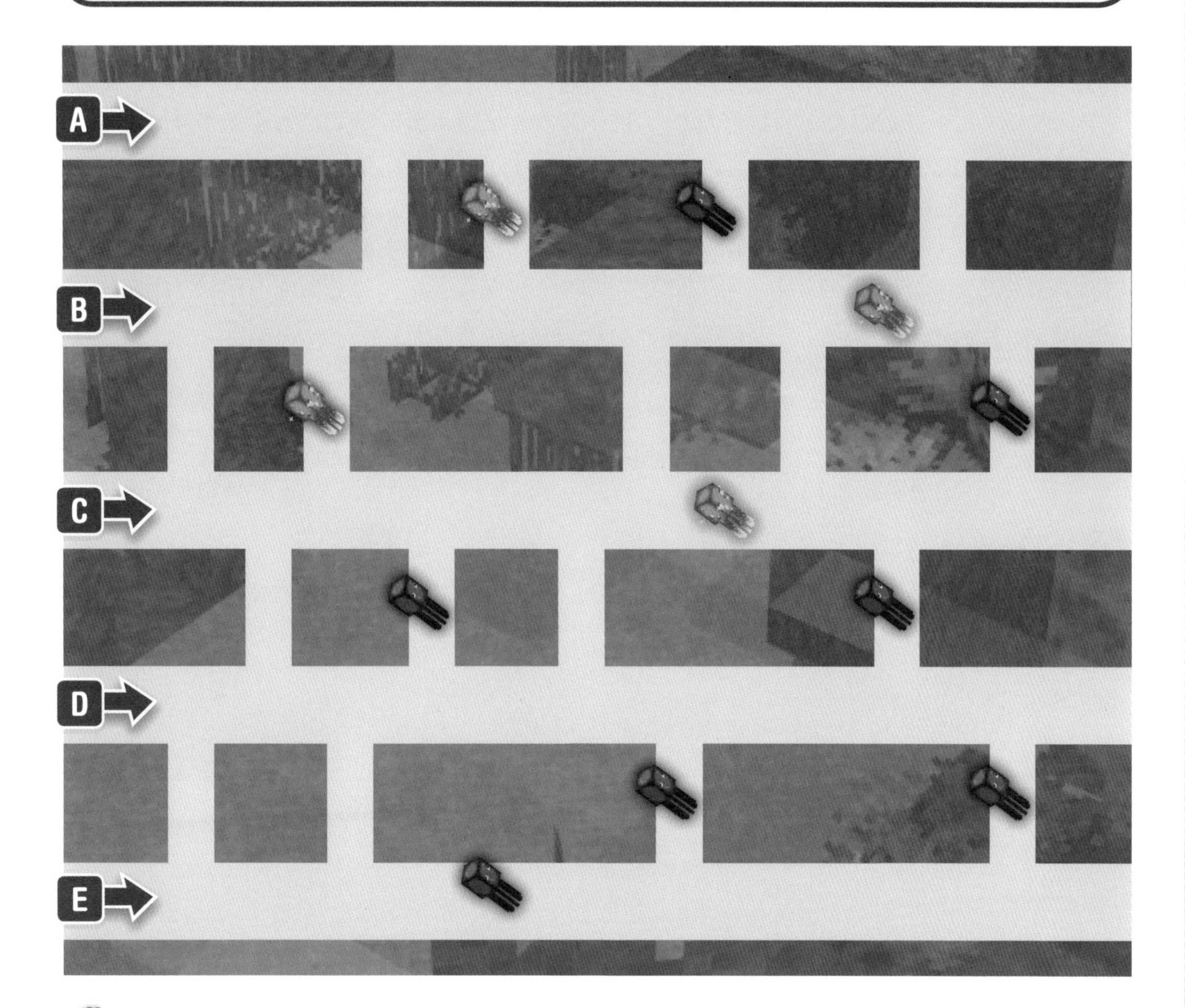

・看板(かんばん)や　額縁(がくぶち)　を　ひからせる　輝(かがや)くイカスミ　をゲット！　これで　アイテムを　まちがえる　ミスが　なくなるかも!?

輝(かがや)くイカスミ　ゲット！

クリアした日(ひ)

月(がつ)　日(にち)

#22

— むずかしさ ▸ ☆☆☆☆☆

コンジットを　つくろう!

難破船の　宝の地図で　手に入れた　海洋の心は、「コンジット」の　ざいりょう　なのじゃ。コンジットが　あると、水中で　ブロックを　ほったりする　さぎょうが　はやくなるぞ！

01 しゃしんを　かんせい　させよう

コンジットの　しゃしんを　ジグソーパズルに　しました。かんせい　見ほん　を見て　ピースを　くみあわせて　しゃしんを　かんせい　させましょう。ただし、A～Fの　ピースのなかに　いらない　ピースが　2つ　まじっているようです。

A

C

D

E

F

ヒント!

同じかたちをした　ピースを　くらべてみると　いらない　ピースが　わかりやすいよ！

かんせい　見ほん

答え. 1 2 3 4 に　ならべる

02 コンジットの　かたちを　かくにんしよう

コンジット は、まわりを　プリズマリンブロック の　リングで　かこむと　パワーを　はっきします。リングが　3つになると、さい大　パワーを　はっきできます。見ほんの　ように　さい大　パワーを　はっきした　コンジットを　上から　見ると　どんな　かたちに　なるでしょうか。A～Dから　えらびましょう。

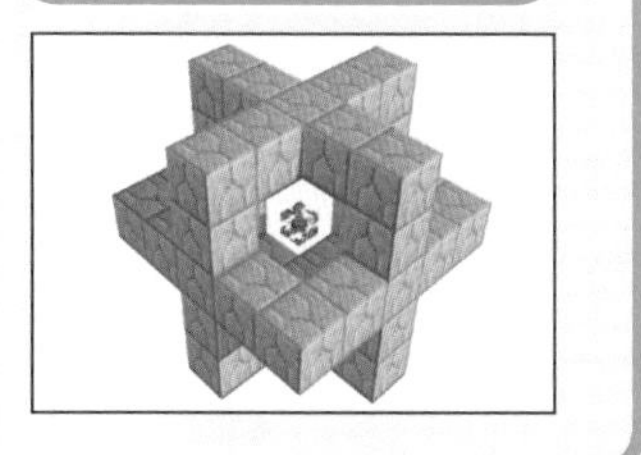

ヒント！

見ほんは　右のような　リングが　3つ　くみあわさって　できているわよ。

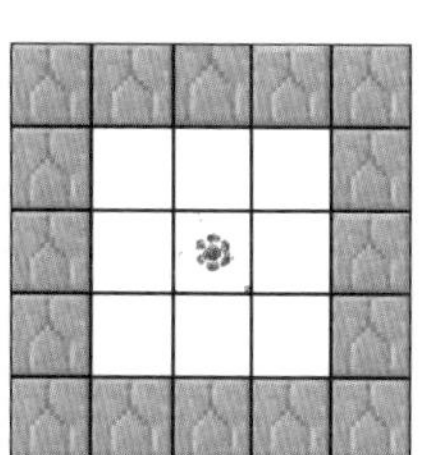

A

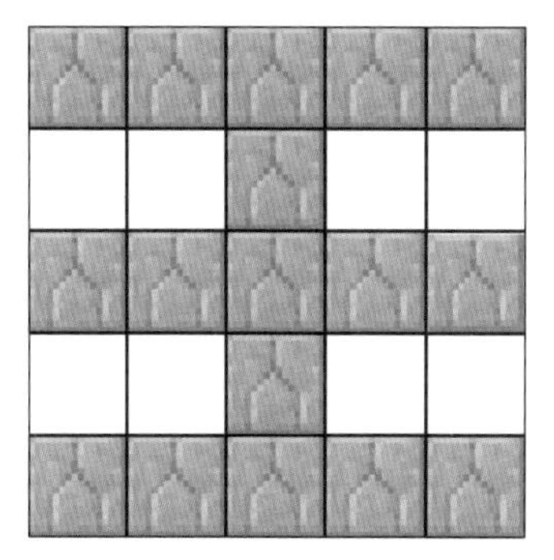

B

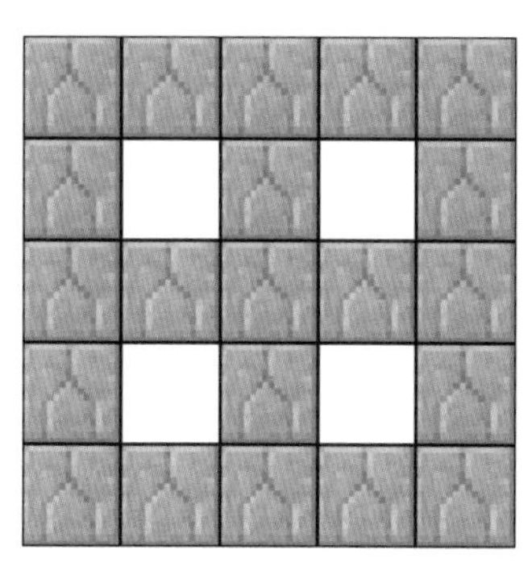

C

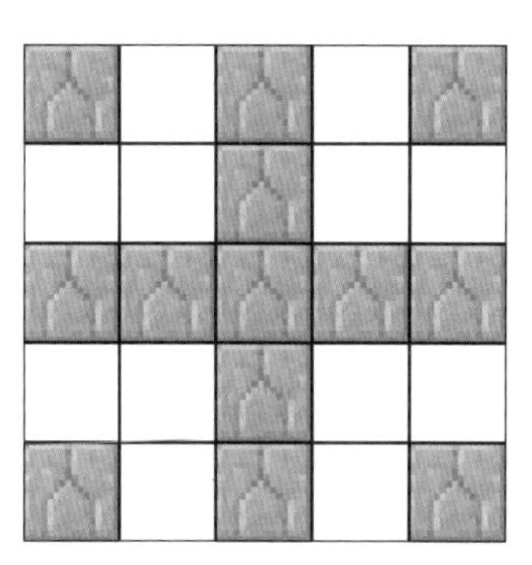

D

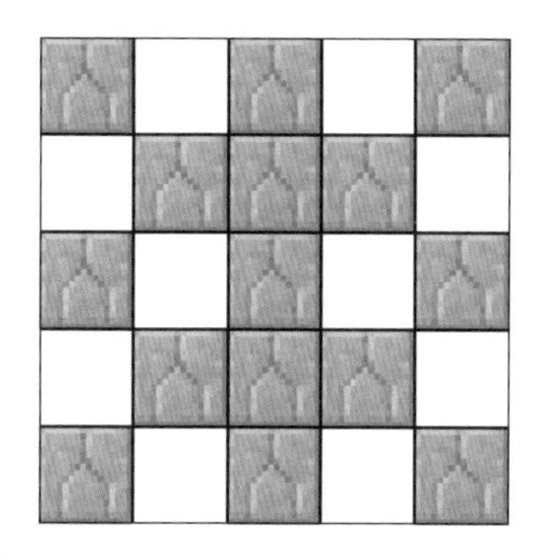

答え.　さい大　パワーの　コンジットは

クリア！

さい大　パワーの　コンジットが　かんせいだ！　これで　水中でも　ブロックを　どんどんほれるよ！

コンジットがかんせい！

クリアした日

月　日

#23

— むずかしさ ▶ ☆☆☆☆☆

海底神殿を　たんさく　しよう

海底神殿には　ビームで　こうげきしてくる　ガーディアンがいるぞ。きをつけて　たんさく　するのじゃ！

01 海底神殿に　たどりつこう

スティーブが　しゃべっている　ないようから　海底神殿を　見つけましょう。海底神殿の　ばしょは　A〜Eの　どこに　なるでしょうか。

		難破船	難破船					
		難破船	難破船					
			A		B	C	サンゴ礁	サンゴ礁
							サンゴ礁	サンゴ礁
					D		E	
							海底遺跡	海底遺跡
スタート							海底遺跡	海底遺跡

海底遺跡の　ほうへ　3マス　すすもう。つぎに、難破船に　むかって　4マス　すすむ。そして、サンゴ礁に　むかおう。海底神殿は　サンゴ礁の　てまえだけど　すぐよこの　マスにはないよ。

答え.　□　の　ばしょ

02 ガーディアンを よけて すすもう

3マスごとに 水中呼吸のポーションを とりながら 海底神殿の いりぐちを めざして すすみましょう。ガーディアンが いる マスには 入ることが できません。スタートから ゴールまで つうかする ルートに せんを ひきましょう。また、いちど とおったマスは とおることが できません。

ゴール

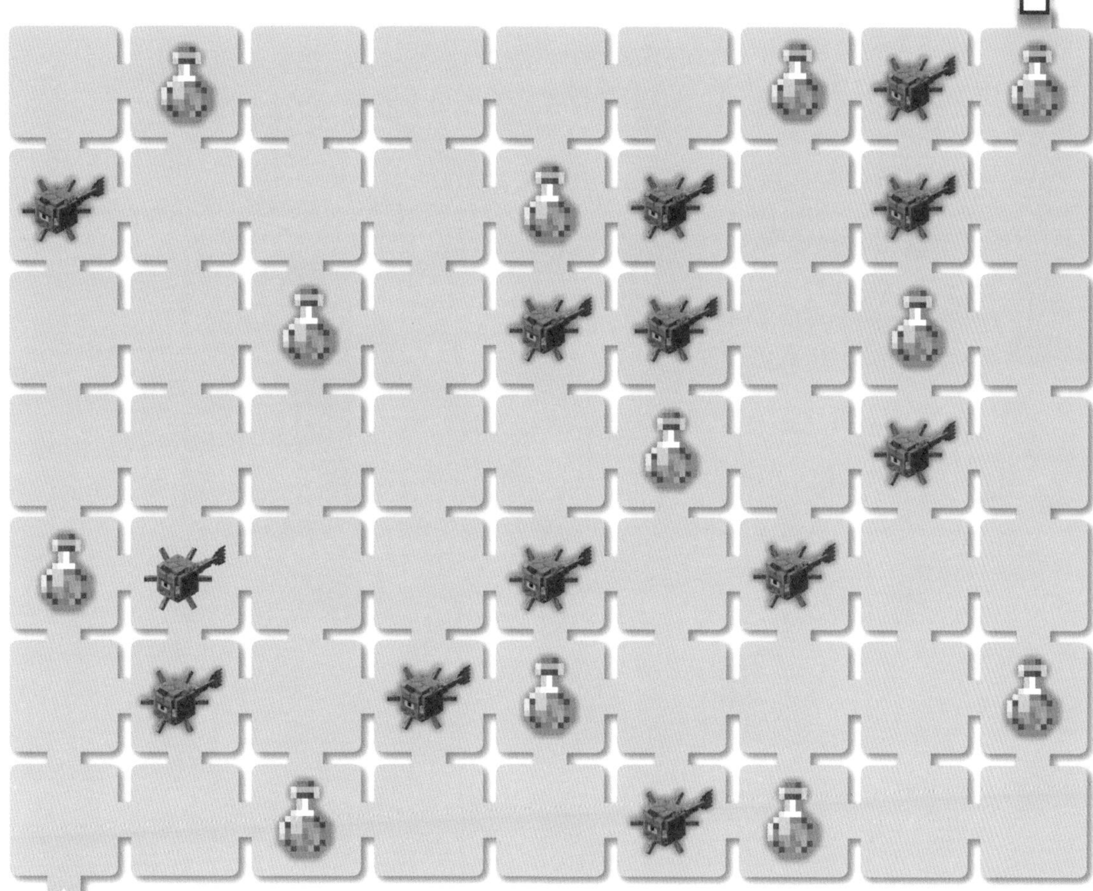

スタート

海底神殿に ついたよ！
海底神殿では でんせつの よろいが 手に入る らしいよ！

海底神殿に とうちゃく！

クリアした日

月　日

#24

— むずかしさ ▸ ☆☆☆☆☆

エルダーガーディアンを　たおそう!

「でんせつのよろい」は、エルダーガーディアンを　たおすと手に入る　ようじゃ。トライデントを　つかって　エルダーガーディアンを　たおすのじゃ！

01 ビームを　よけて　ちかづこう

海底神殿は　ガーディアンと　エルダーガーディアンが　まもっています。ガーディアンたちが　つかう　ビームこうげきは　むいている　しょうめんの　すべてのマスに　とどきます。ビームを　よけて　ゴールを　めざしましょう。ただし、いちど　とおったマスは　とおることが　できません。

ビームのはんい

ビームこうげきは、かべまでの　しょうめんの　すべての　マスに　とどきます

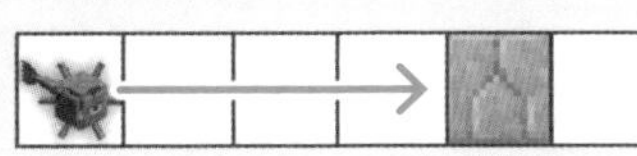

エルダーガーディアンは2れつぶん　とどくよ！

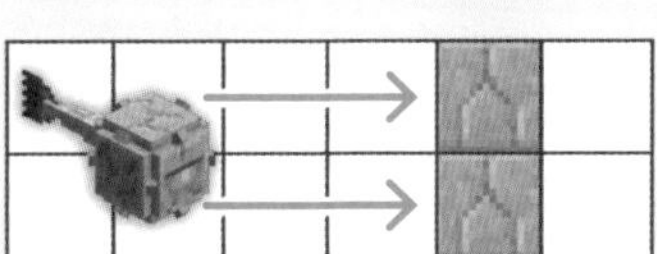

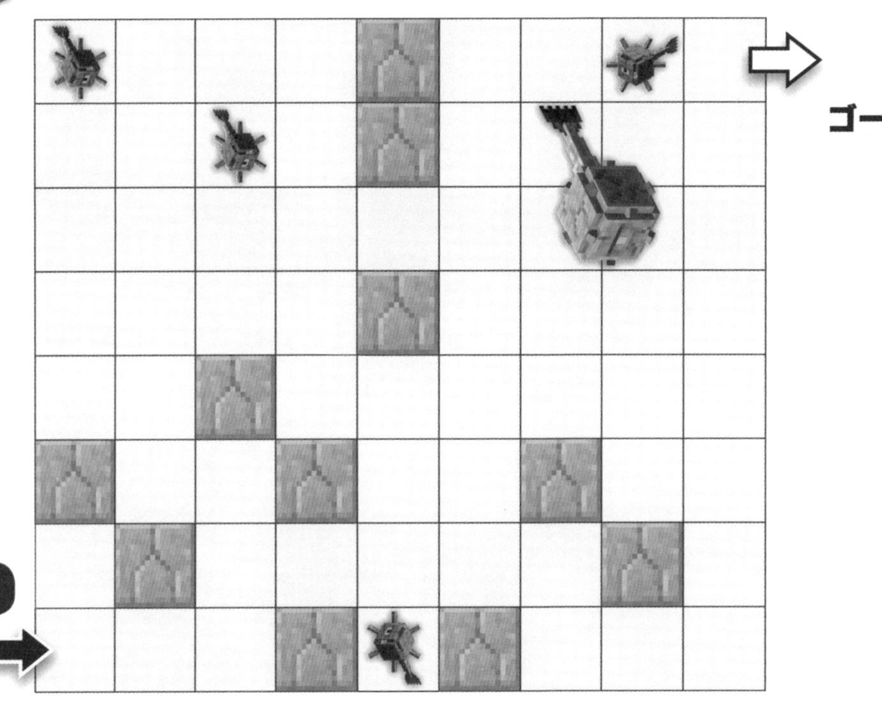

02 トライデントで　こうげき　しよう!

エルダーガーディアンは、トライデントで　3かい　こうげき　すると　たおせます。A～Eの　パーツに　かかれた　トライデントが　エルダーガーディアンの　上(うえ)に　ささるように　1～3の　ばしょに　A～Eの　パーツを　あてはめて　みましょう。A～Eの　パーツは　かいてん　させて　つかうことが　できます。

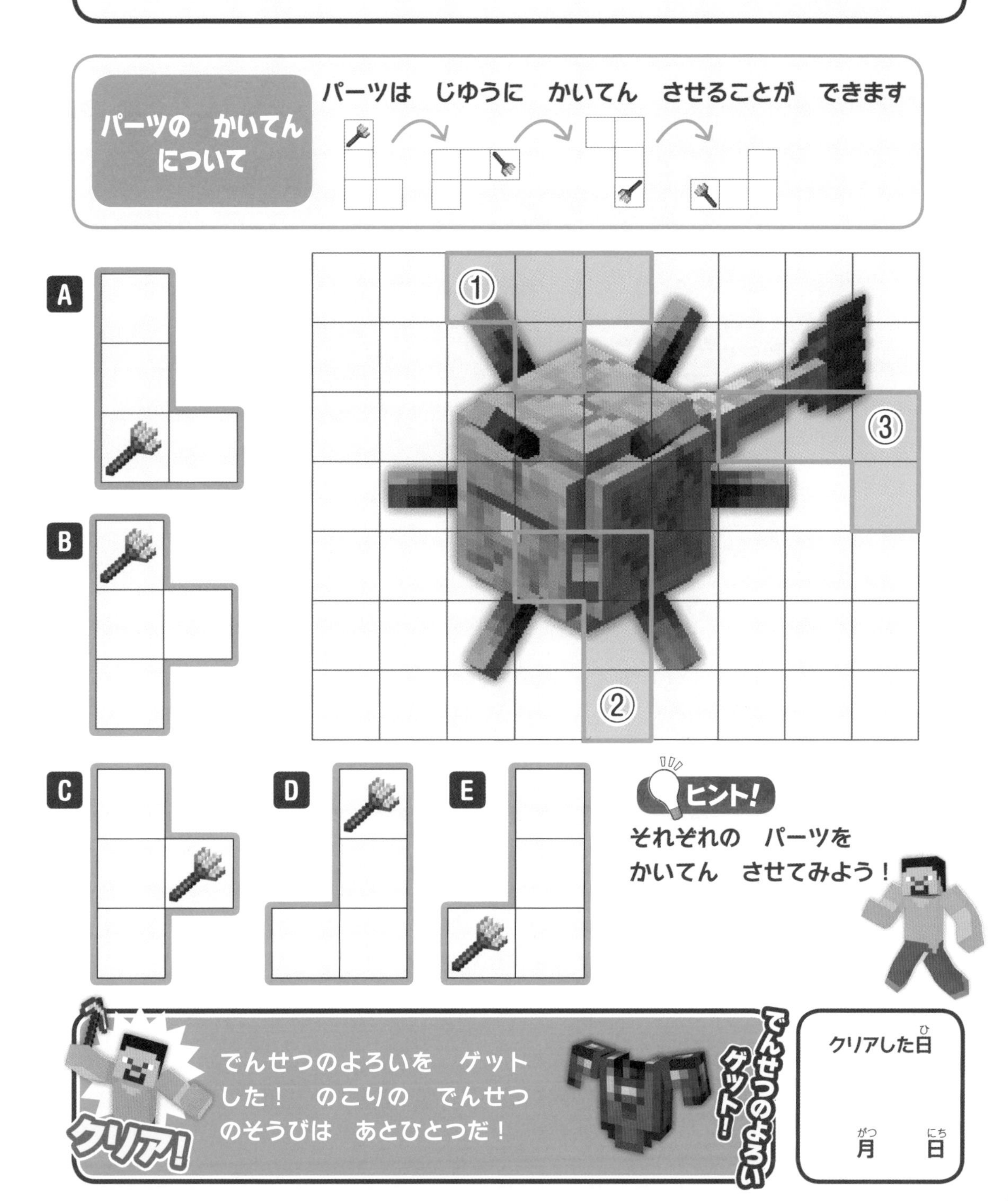

#25

— むずかしさ ▶ ☆☆☆☆☆

ジャングルの　いきものたち

うみから　あがってみたら、ジャングルに　まよいこんで
しまったようじゃ。ジャングルには　いろいろな　いきものが
すんでおる。おこらせて、こうげきされないように　しよう！

▶ シルエットの　いきものは?

ジャングルには、いろいろな　しゅるいの
いきものたちが　すんでいます。いきものずかんを
さんこうにして、シルエットに　なっている
どうぶつや　むしたちの　なまえを　かきこんで
みましょう。

どの　いきものか
わからないときは、
手足や　しっぽを
よく見てみよう！

ジャングルの　いきものたちと
あらそわずに　すすむことが
できた。けがもなく、
ジャングルを　ぬけられたよ！

ジャングルをぶじぬけた！

クリアした日

月　日

#26 — むずかしさ ▸ ☆☆☆☆☆

ちていに むかう どうくつを さがせ!

3つめの でんせつそうびは、ちてい おくふかくの 古代都市に あるらしい。ちかくの 村で、ちかに もぐるための どうくつが あるばしょについて ききこみを してみるんじゃ！

01 どうくつの ばしょを さがそう

ちかくの 村で、ちていに つながっている どうくつの ばしょに ついて はなしを きいてみました。村人たちの はなしを さんこうにして、A～Fの どのばしょに どうくつが あるか さがして ○を つけましょう。

どうくつは 村から 見て ひがしがわに あったと おもうよ

どうくつの 下の マスに どうぶつが すみついて いたな

どうくつの よこの マスには 木が はえてるね

02 どうくつの　入り口は　どれ？

どうくつの　ばしょが　わかったので、こんどは　どうくつの　ようすを
きいてみることに　しました。下の　しゃしんの　なかで、ただしい　どうくつの
入り口は　A～Dのうち　どれでしょうか？

どうくつの　入り口に
いつも　ネコが　いたよ

入り口の　ちかくに
あかいはなと　きいろい
はなが　さいてるんだ！

ちかくに　ちいさな
水たまりが　あったなあ

答え.　　　の　どうくつ

古代都市に　つながる
どうくつを　みつけた！
さあ、かくごを　きめて
どうくつに　しんにゅうだ！

クリアした日

月　　日

#27

— むずかしさ ▸ ☆☆☆☆☆

どうくつたんけんの　じゅんびを　しよう

どうくつに　入(はい)るまえに、しっかりと　じゅんびを　しておこう。
ひつようなどうぐは　もっているか、まわりに　おかしな
ところが　ないかなど、しっかり　しらべてから　すすむんじゃ！

01 たんさくアイテムを　かくにんしよう

どうくつの　たんさくには、「ツルハシ」「シャベル」「剣(けん)」「弓(ゆみ)」「松明(たいまつ)」の5しゅるいが　ひつようです。タテ・ヨコ・ナナメ　どれかで　5つのアイテムがいっちょくせんに　ならんでいる　ばしょを　見(み)つけて　○でかこみましょう。ならびじゅんは、バラバラでも　だいじょうぶです。

ツルハシ　シャベル　剣(けん)　弓(ゆみ)　松明(たいまつ)

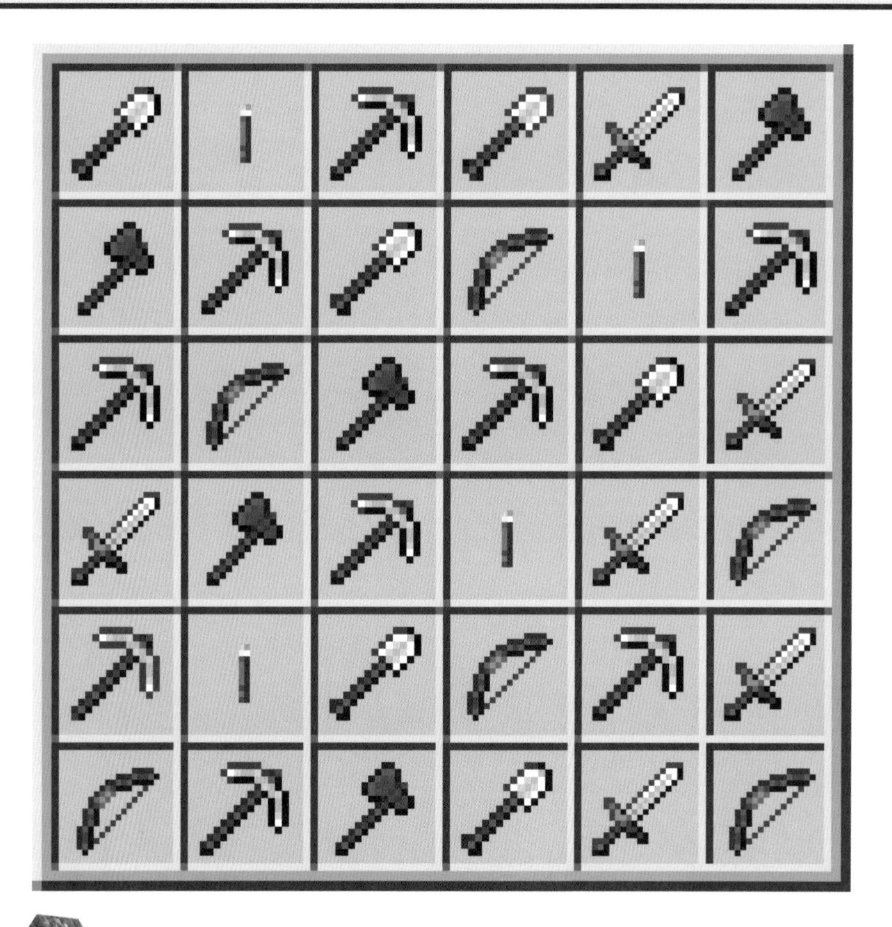

02 どうくつの　入り口に　まちがいはっけん！

どうくつに　入るまえに、入り口の　まわりを　しらべることに　しました。下は　入り口の　かがみうつしの　しゃしんです。左右で　まちがっている　ところが　5つあるので、ぜんぶ○で　かこんでみましょう。

まちがっている　ところが　5つも　あるの!?
ぼくたちも　まちがってる　ところが　あるのかな……？

どうくつの　入り口ふきんは
あんぜんみたい。どうぐの
じゅんびも　バッチリなので、
どうくつの　おくを　めざすそう！

クリアした日

月　　日

#28

— むずかしさ ▶ ☆☆☆☆☆

ちていの　どうくつを　たんさく

どうくつの　中は　そとの　ひかりが　とどかないので、松明の
あかりが　たよりじゃ。このどうくつは　かなり　ふくざつな
つくりに　なっておる。しんちょうに　すすむんじゃ！

01 松明を　たやさず　ゴールを　めざせ!

松明を　ひろうと、2マス　いどうすることが　できます。いどうちゅうに
松明をひろったら、そこからまた　2マス　いどうできます。松明を　ひろい
ながら、ゴールまで　むかいましょう。

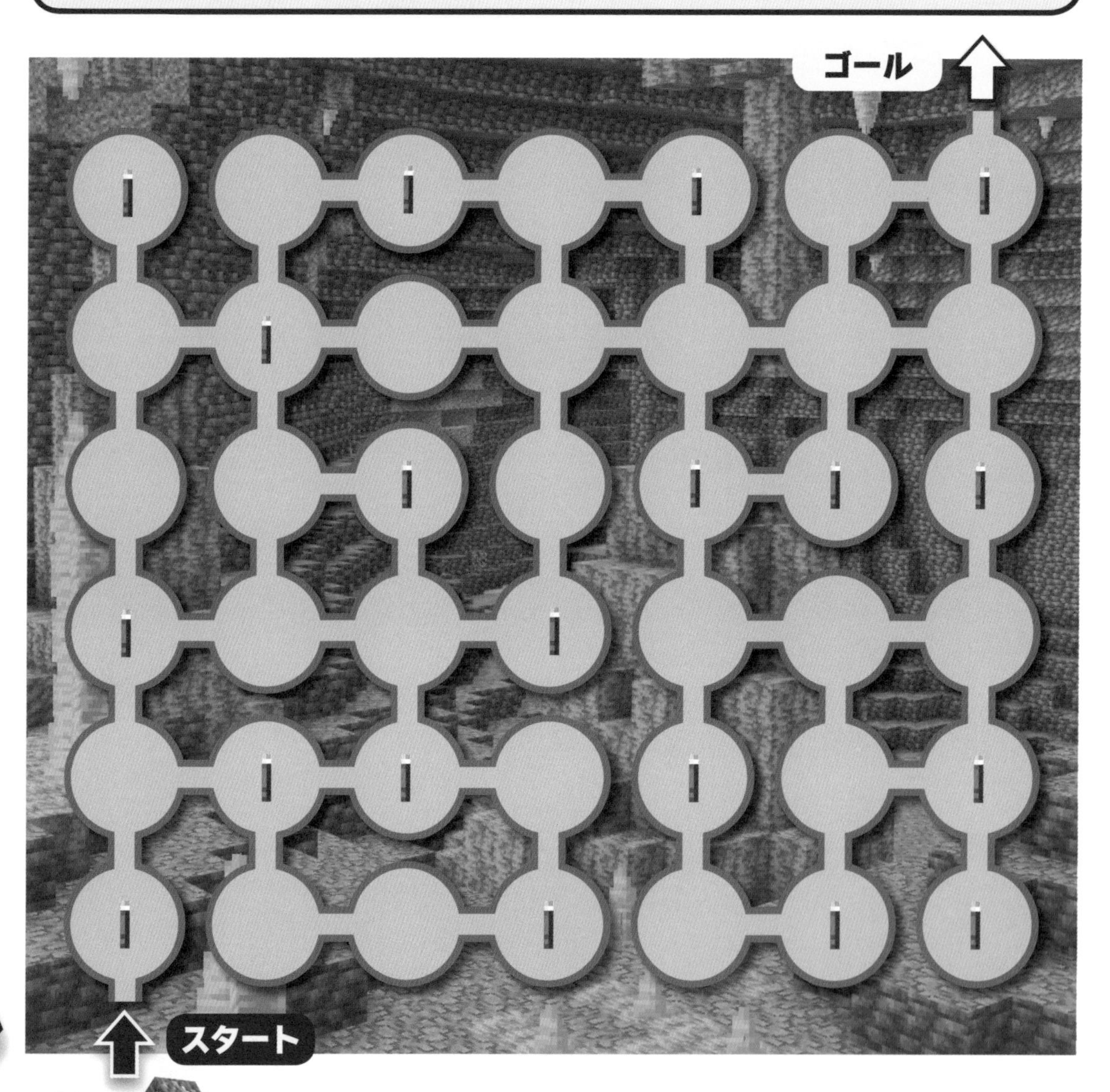

02 どうくつの　大めいろを　ぬけろ!

どうくつを　さらに　すすむと、きょだいな　めいろに　ぶつかりました。
ゴールまで　たどりつける　ルートを　さがしてみましょう。

#29

— むずかしさ ▶ ☆☆☆☆☆

どうくつの　おくに　すすめ!

どうくつは　かなりの　ふかさが　あるようじゃな。
みちを　ふさぐ　いわや、きりたった　がけなどが　ゆく手(て)を
はばんでおるが、あたまを　つかって　きりぬけるんじゃ！

01 いわブロックを　じゅんばんに　ほろう

どうくつの　とちゅうが　いわで　ふさがっています。下(した)の　めいろの　いわを、
あか➡あお➡きいろの　じゅんばんに　ほりながら　ゴールまで　いきましょう。

スタート

ゴール

02 どうくつの　そこに　おりよう

どうくつを　さらに　すすんでいくと、ふかい　がけに　つきあたりました。
いどうルールに　したがって、がけを　いちばん下の　だんまで　下りましょう

いどうルール

1ブロックの　たかさは、おりることができます。2ブロックは　おりられません。

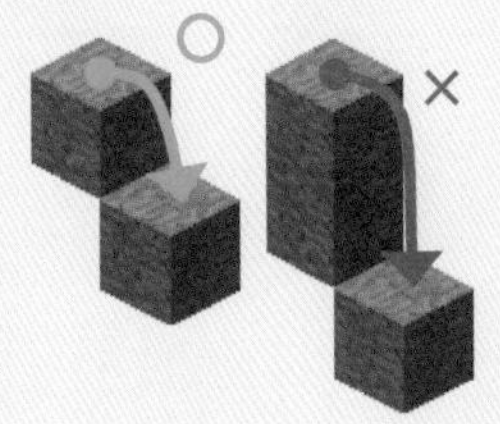

ぜんご左右が　つながっている　ブロックは、いどうできます。ただし、ナナメに　いどうは　できません。

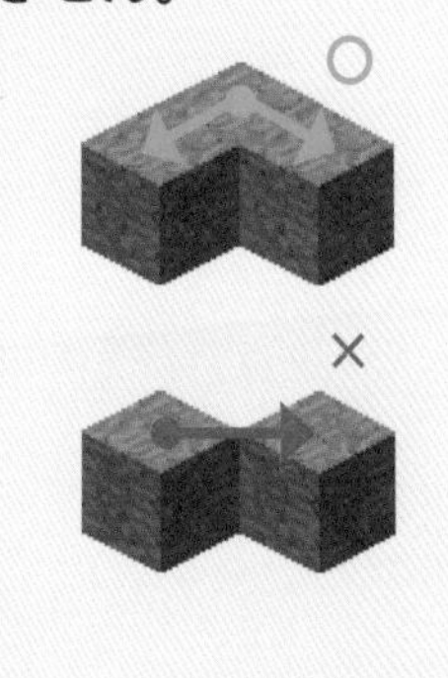

どうくつを　すすむのは
ひとすじなわじゃ　いかない。
それでも、くじけずに　おくへと
すすんでいこう！

クリアした日

月　日

#30

— むずかしさ ▸ ☆☆☆☆☆

かくれている　モンスターを　見(み)つけよう!

くらい　どうくつの　おくふかくでは、モンスターが　しゅつげん
しやすいのじゃ！　いつ　モンスターに　おそわれても　おかしく
ないので、つねに　まわりを　けいかいせねば　ならんぞ！

01 てんを　つないで　モンスター　はっけん!

下(した)の　てんを　すう字(じ)の　じゅんばんに　つないでいくと、モンスターの
すがたが　見(み)つかります。てんを　せんで　つないで　みましょう。

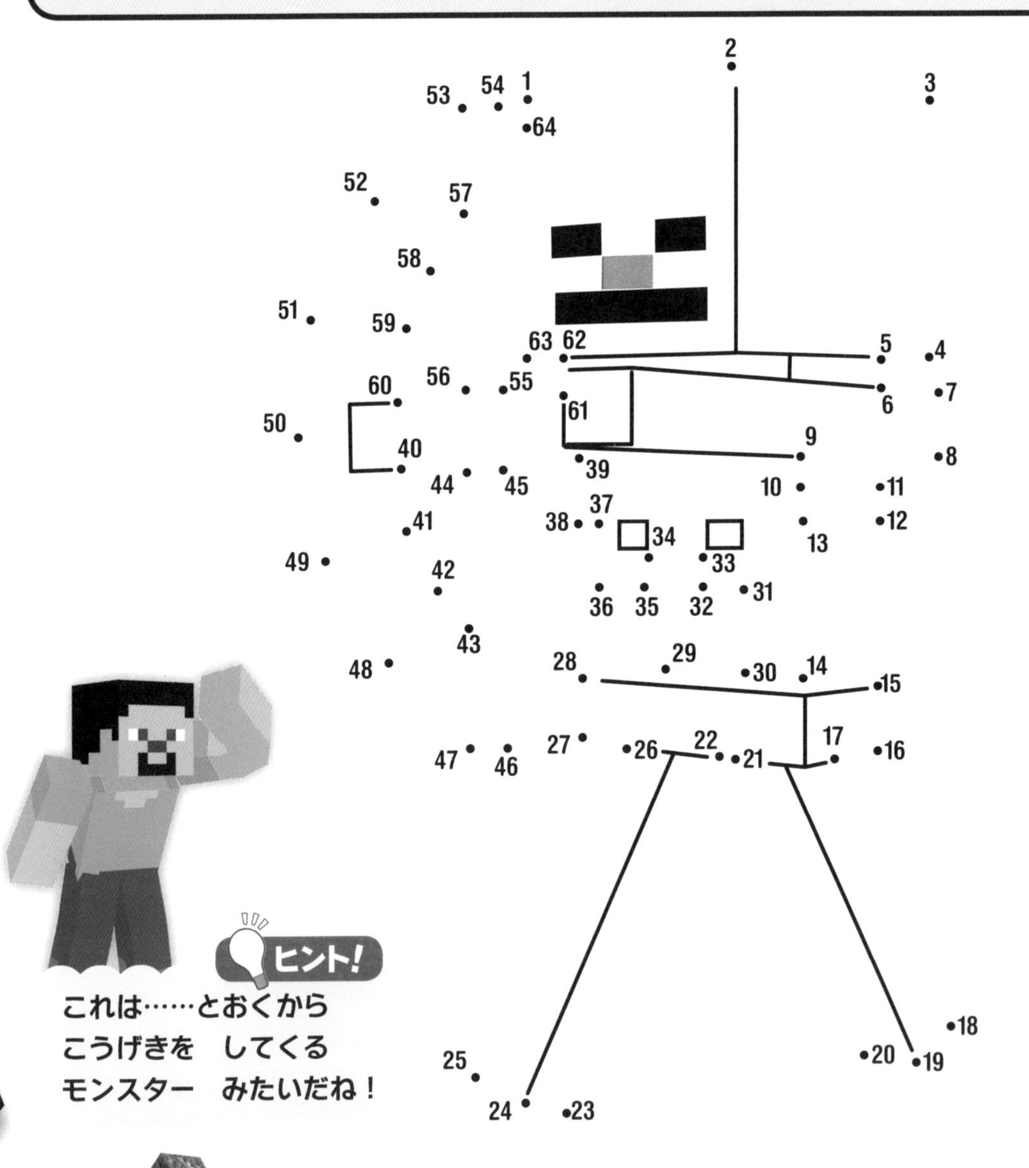

ヒント!

これは……とおくから
こうげきを　してくる
モンスター　みたいだね！

02 さらに　モンスターが　しゅつげん！

こちらは、あかい　てんと　あおい　てんを、それぞれ　じゅんばんに　つないで　みましょう。あかい　てんは　あかい　てんだけと、あおい　てんは　あおい　てんだけを　せんで　つなぐように　してください。

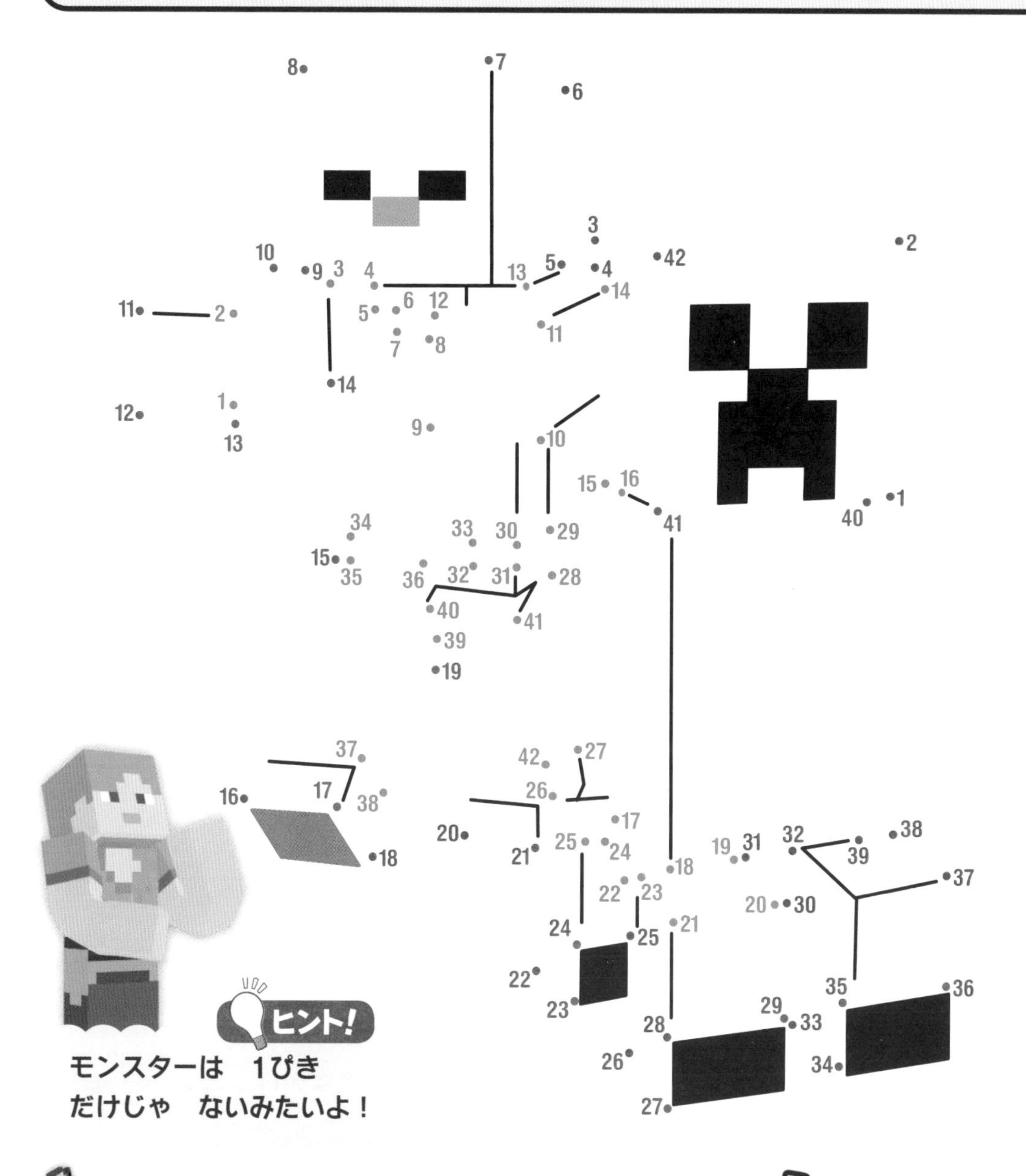

ヒント！

モンスターは　1ぴき　だけじゃ　ないみたいよ！

クリア！

モンスターに　見つかるまえに　こちらが　きづけたので、ふいうちが　かのうに。ゆうりな　じょうきょうで　せんとうかいし！

クリアした日

月　日

#31

— むずかしさ ▶ ☆☆☆☆☆

どうくつの　モンスターを　たおせ!

モンスターとの　せんとうかいし！　しょうりの　コツは、2人(り)で
いきのあった　こうげきを　することと、あたまを　つかって
たちまわり、こうりつよく　てきを　たおして　いくことじゃ！

01 さいしょに　たおす　モンスターを　えらべ!

ゾンビの　大(たい)ぐんが　おそってきました。2人(り)で　きょうりょくして　おなじ
モンスターに　こうげきします。スティーブの　かけごえを　きいて、
スティーブと　おなじ　モンスターを　こうげき　しましょう。

答(こた)え.　　　　の　ゾンビを　こうげき

さいしょに　こうげきするのは、あの　あたまに　なにも　かぶっていない
ゾンビだ！　ぶきを　もっているから、しんちょうに　こうげきしよう！
よこに　いろが　ちがう　ゾンビが　いるから　ちゅういしてね！

02 3つの　モンスターを　ならべて　たおせ!

「ゾンビ」「スケルトン」「クリーパー」が　いちれつに　ならぶと、たおすことが　できます。タテ・ヨコの　ぜんぶの　れつで　「ゾンビ」「スケルトン」「クリーパー」が　いったいずつ　入るように　ならべて　みましょう。

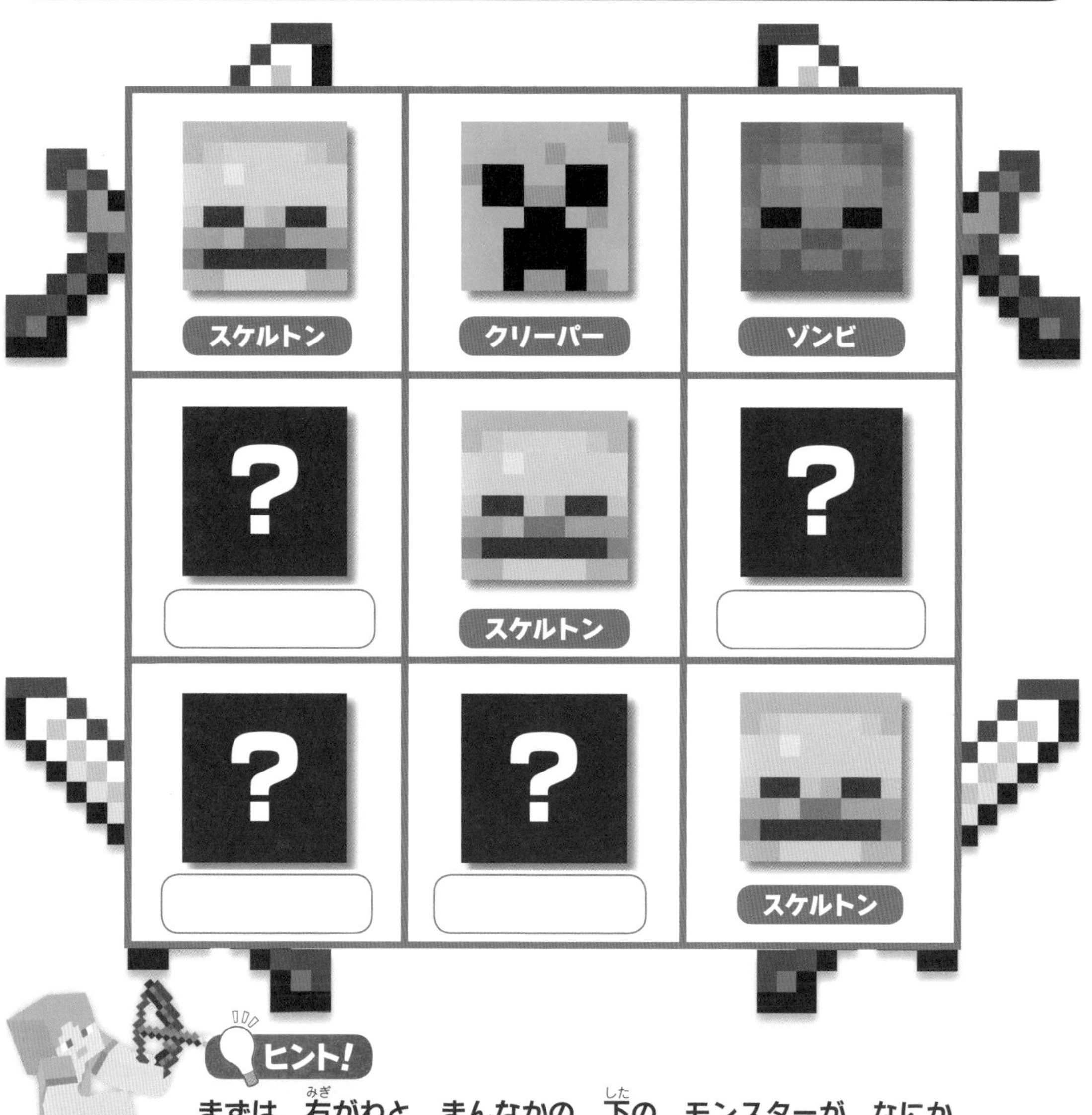

ヒント!

まずは、右がわと　まんなかの　下の　モンスターが　なにかかんがえよう。そこが　わかれば、のこりも　すぐに　わかるよ！

クリア!

かなりの　かずの　モンスターがいたが、2人で　ちからをあわせて　ぶじ　しょうり！さあ、さきへと　すすもう。

クリアした日

月　日

#32

— むずかしさ ▶ ☆☆☆☆☆

ちていに　みずうみを　はっけん!

どうくつを　下(くだ)っていくと、なんと　ちていに　みずうみを
はっけん！　ウーパールーパーが　たいりょうに　おるようじゃ。
もしかすると、あのめずらしい　ウーパーが　いるかも……？

01 ちょうレアな　あおウーパーを　さがそう!

ちていの　みずうみには、たくさんの　ウーパールーパーが　います。この中(なか)に、めったに　見(み)ることが　できない　あおい　ウーパールーパーが　かくれています。どこにいるか　さがしてみましょう。

あおい　ウーパールーパー

02 ちていの　みずうみを　わたろう

ちていの　みずうみを　わたりたいのですが、みずうみが　ふかくて　すすめません。ですが、ドリップリーフを　みずの　マスに　おくと、そのマスの　上(うえ)を　とおることが　できます。2まいの　ドリップリーフで　ゴールまで　むかいましょう。

ドリップリーフ

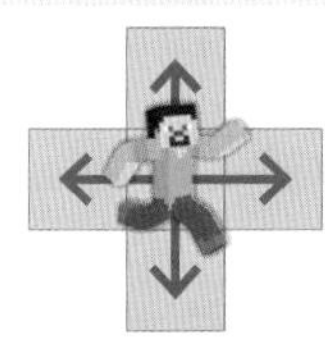

○いどう　できる

×いどう　できない

ゴール

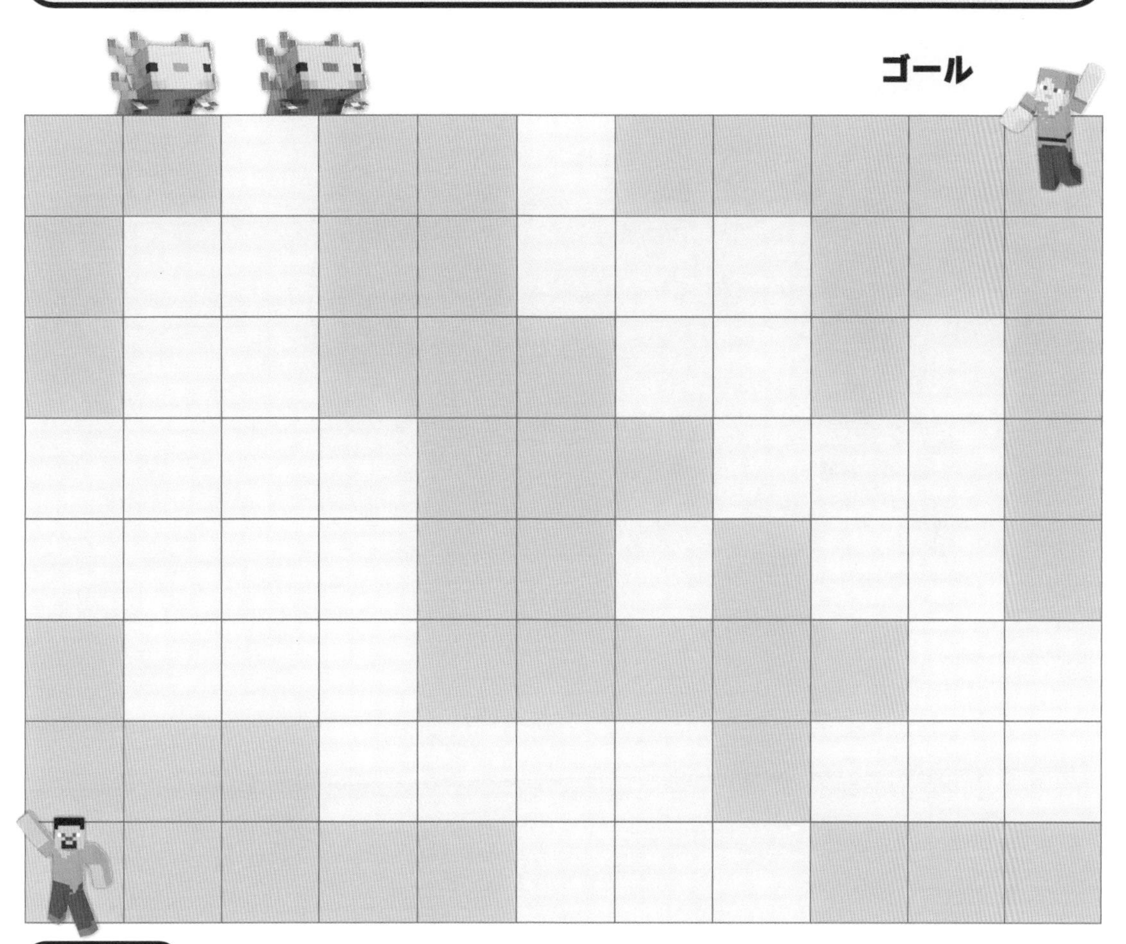

スタート

めったに　見(み)つからない　あおい　ウーパールーパーを　手(て)に入(い)れた！　いっしょに　つれていけば　なにか　いいことが　ありそう？

あおウーパーを　ゲット！

クリアした日(ひ)

月(がつ)　日(にち)

33

— むずかしさ ▶ ☆☆☆☆☆

ちていの　レア鉱石を　手に入れよう

ちかの　ふかいばしょでは、とても　レアな　ほうせきの　鉱石が見つかりやすいんじゃ。もし、どうくつを　たんさく中にダイヤモンド鉱石を　見つけられたら　ちょうラッキーじゃな！

01 ダイヤモンド鉱石を　はっけん！

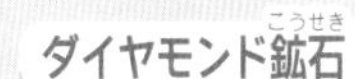

たんさく中に、なんと　ダイヤモンドの　鉱石を　見つけました！でも、見つけた　シーンで　おかしなところが　あるみたいです。上下のしゃしんで　7つの　まちがいを　見つけましょう。

02 いちばん　あつまった　ほうせきは？

ダイヤモンドの　ほかにも、いろいろな　ほうせきを　見つけることが　できました。いちばん　たくさん　あつめることが　できた　ほうせきは　どれでしょう？　見つかった　ほうせきは、下の　4しゅるいです。

ダイヤモンド	エメラルド	レッドストーン	金

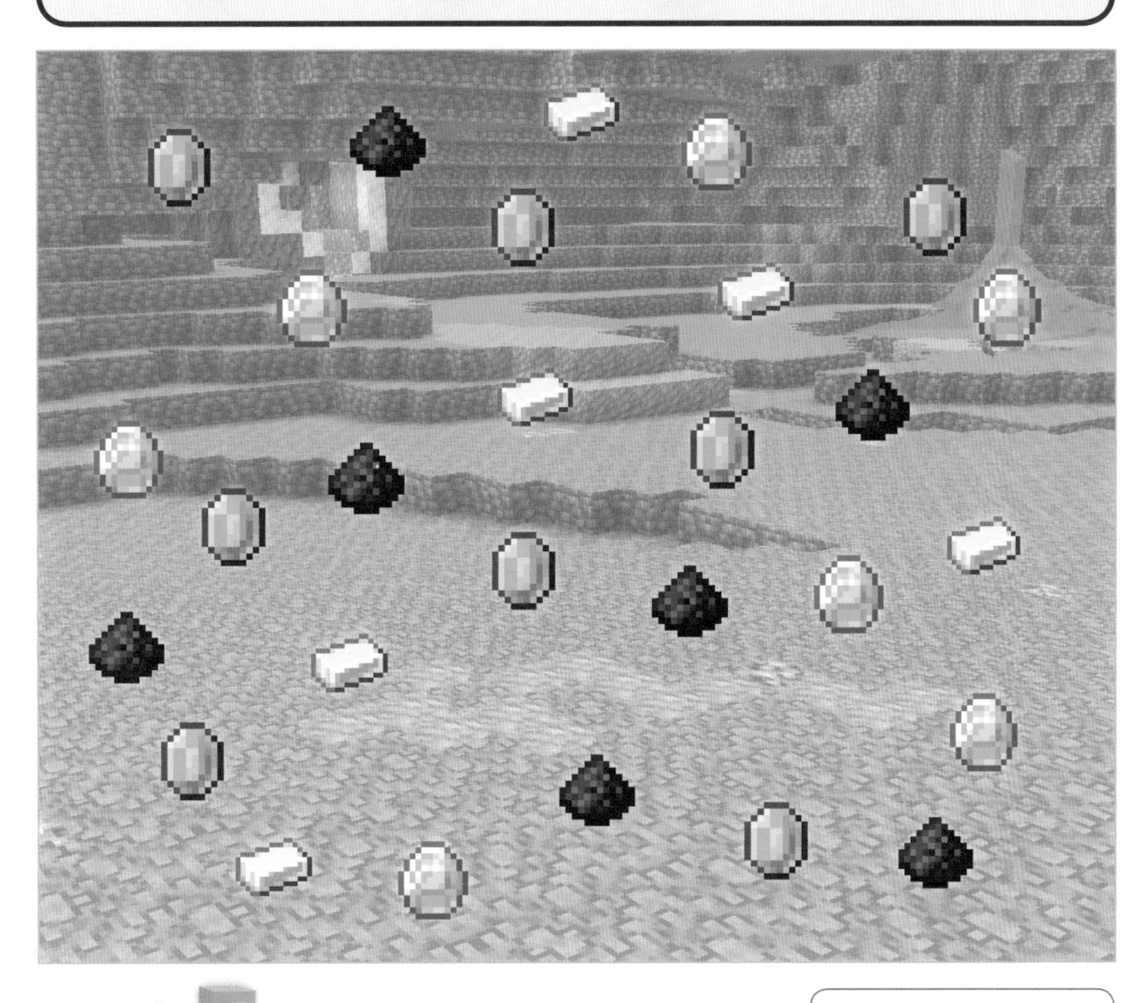

答え.いちばん　あつまったのは

ダイヤモンドは　きょうりょくな　ぶきや　ぼうぐの　ざいりょうに　なる、レアな　ほうせきだ。ここで　手に入ったのは　ラッキーだったね！

クリアした日

月　日

#34

― むずかしさ ▶ ☆☆☆☆☆

廃坑で　おたからを　はっけん!

どうくつの　おくで　廃坑が　みつかるとは　おどろきじゃ！
廃坑には　おたからが　入った　チェストが　見つかることが
あるんじゃ。せっかくなので、おたからさがしを　してみよう！

01 チェストまで　たどりつこう

アミダの　おくにある　チェストまで　いけるのは　A～Dの　どれでしょう。クモの巣　が　あるみちは　まがることが　できません。まっすぐ　すすみましょう。ただし、ハサミ　を　とると　1かいだけ　こわして　とおることができます。

アミダのルール　まがれるみちは、かならず　まがらないと　いけません。また、Uターンは　できません

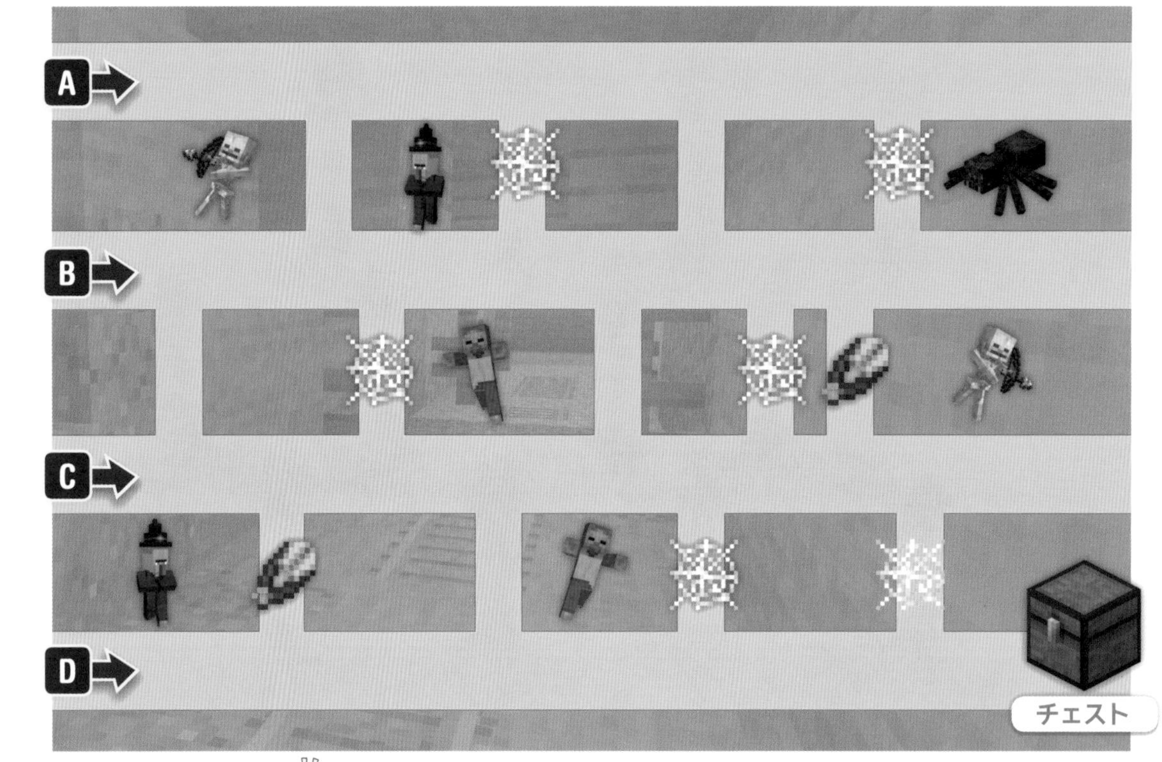

ヒント!
ハサミを　とったら　つぎの　クモの巣で　かならず　つかうよ。

02 チェストを　ゴールまで　みちびこう

おたからが　入っていそうな　チェストを、トロッコで　はこびだします。トロッコを　そとに　はこびだすには、レールの　上を　はしらせて　ゴールまで　もっていく　ひつようが　あります。もっている　レールを　くうはくマスに　はめて、レールを　ゴールまで　つなげましょう。

もっている レール

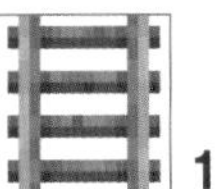

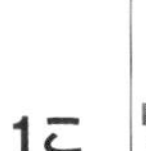

1こ

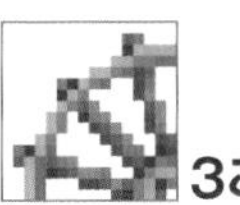

3こ

ヒント！
レールは　かいてんして　おくことも　できるよ！

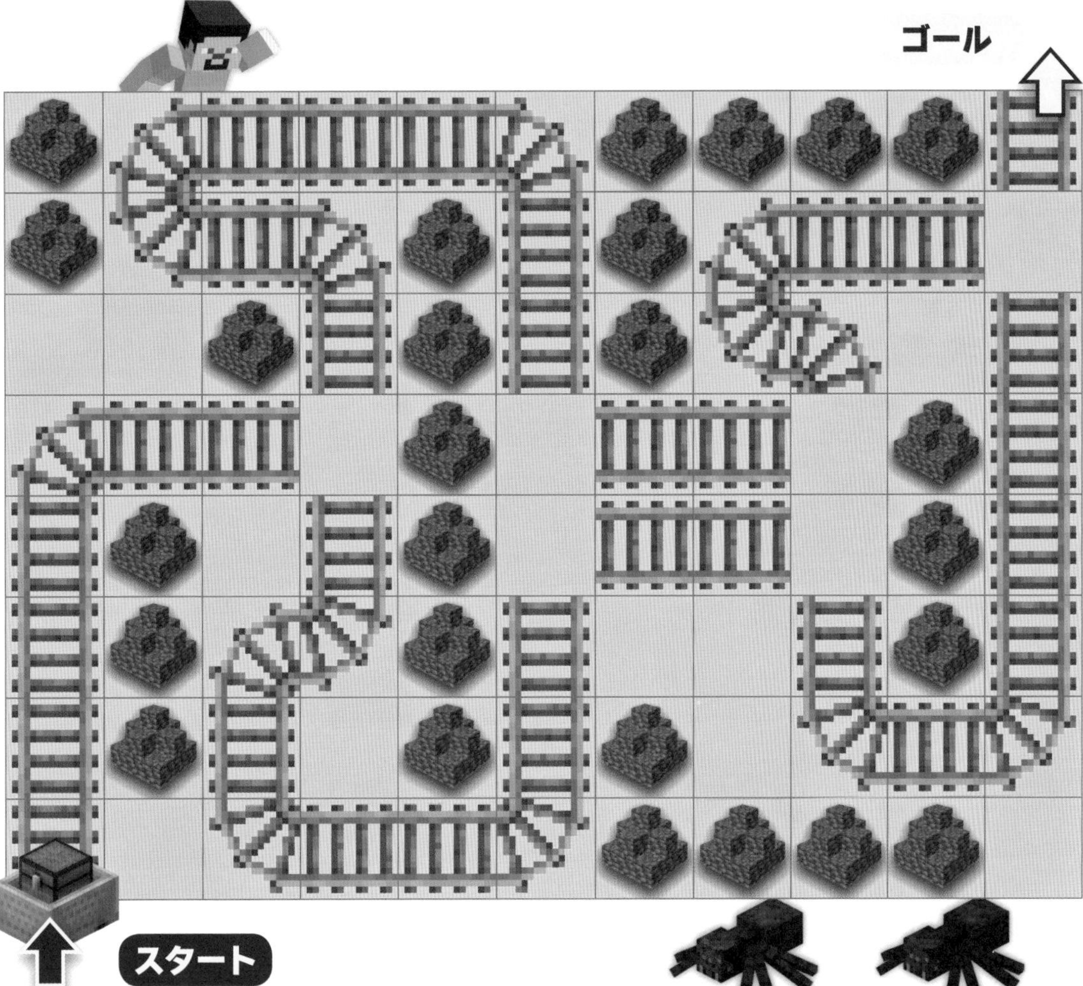

ぶきや　ぼうぐに　ふしぎな　こうかを　つけることが　できる　エンチャントの本を　手に入れた！　これで　もっと　つよくなれるね！

エンチャントの本ゲット！

クリアした日

月　日

#35

— むずかしさ ▶ ☆☆☆☆☆

古代都市(こだいとし)を たんさく しよう!

ついに、ちかふかくにある 古代都市(こだいとし)に ついたぞ!
おとを きくと しゅつげんする モンスター「ウォーデン」を
よびだして しまわない ように すすむのじゃ!

01 あしおとを つたえないように すすもう

スカルクセンサー と 調律(ちょうりつ)されたスカルクセンサー は あしおとが つたわると きょうあくな ウォーデンを よびだして しまいます。右(みぎ)の ×の はんいに 入(はい)らないように ゴールを めざしましょう。ただし 羊毛(ようもう)ブロック は あしおとを つたえないので ×の はんいの 中(なか)でも とおれます。

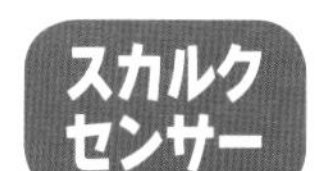

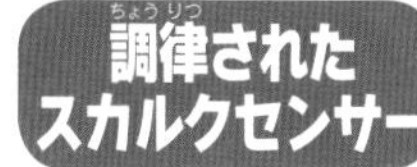

ゴール

スタート

羊毛(ようもう)ブロック の マスは あんぜんに とおれるよ!

02 おなじ　かいろを　さがそう

古代都市の　おくには　レッドストーン回路が　おいてあります。スティーブとアレックスも、おいてある　回路と　おなじものを　つくってみました。見ほんの回路と　おなじ回路は　A～Dの　どれでしょう。

見ほん

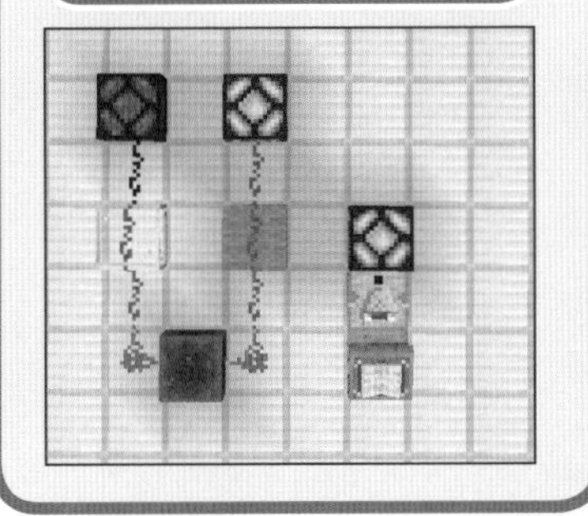

ヒント!

ななめから　見た　しゃしんに　なっているけど、ひかっている　レッドストーンランプ  を　さんこうに　してみよう！

A

B

C

D

答え.

古代都市の　じめんが
おおきく　ゆれはじめたぞ！
これは　なんの　しんどう
なんだ!?

このゆれはなんだ!?

クリアした日

月　　日

#36

— むずかしさ ▶ ☆☆☆☆☆

ウォーデンから　にげきろう!

古代都市の　かいぶつ　ウォーデンが、目ざめて　しまった！
こいつは　まともに　たたかって　かてる　あいてじゃない！
2人とも、なんとしても　にげきるんじゃ！

ウォーデンから　にげのび、でんせつのけんも
ぶじに　入手できた。これで、でんせつの　そうびが
すべて　あつまった！　この　そうびを　つけて、
また　あたらしい　ぼうけんに　しゅっぱつだ！

さいごの　まちがいさがし！

うんわるく、さいきょうの　かいぶつ　ウォーデンが　目ざめて　しまいました。スティーブと　アレックスは、大あわてで　ウォーデンから　にげだします。下は　ウォーデンが　あらわれた　しゅんかんの　しゃしんですが、まちがいが10こ　あります。ぜんぶ　見つけて　ウォーデンから　にげのびましょう。

クリアした日

月　日

答えのコーナー

#01 アイテムを　そろえて　ぼうけんの　じゅんび!　6-7ページ

01 3つの　アイテムを　みつけよう

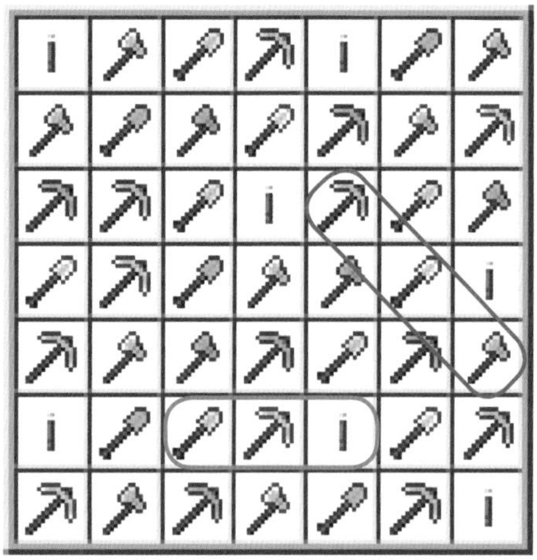

○：スティーブ
○：アレックス

02 ヒツジを　つかまえて　ベッドを　つくろう

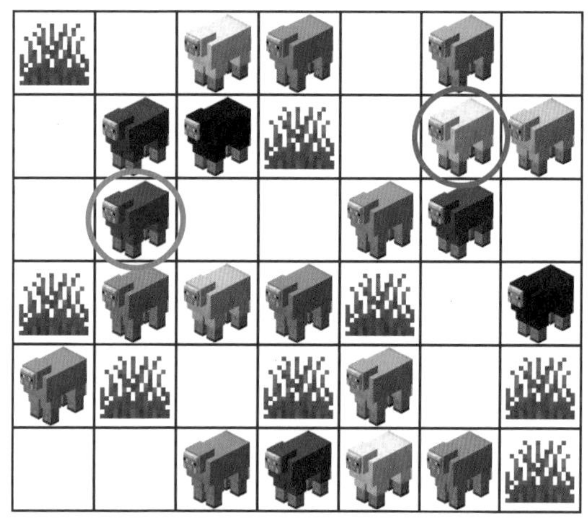

○：スティーブが　つかまえた　ひつじ
○：アレックスが　つかまえた　ひつじ

#02 かくれている　どうぶつを　見つけよう　8-9ページ

01 てんを　つないで　どうぶつ　はっけん!

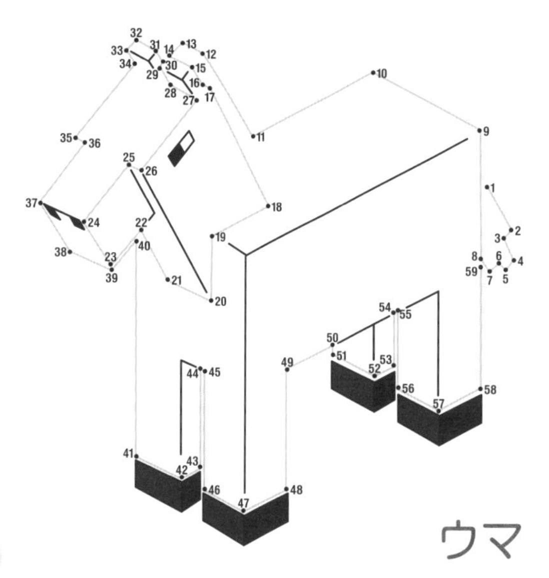

02 まだまだ　どうぶつが　かくれているよ!

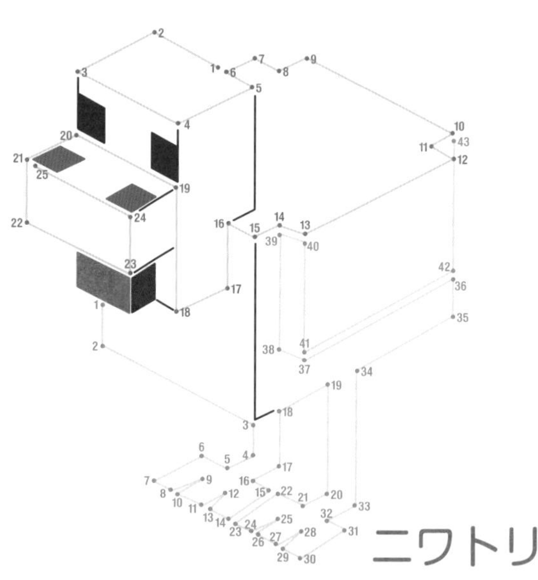

#03 きけんな　よるの　モンスターたち!

10-11ページ

▶ シルエットの　モンスターは?

#04 さいしょの　村(むら)を　見(み)つけよう

12-13ページ

01 村(むら)の　あるばしょは　どこ?

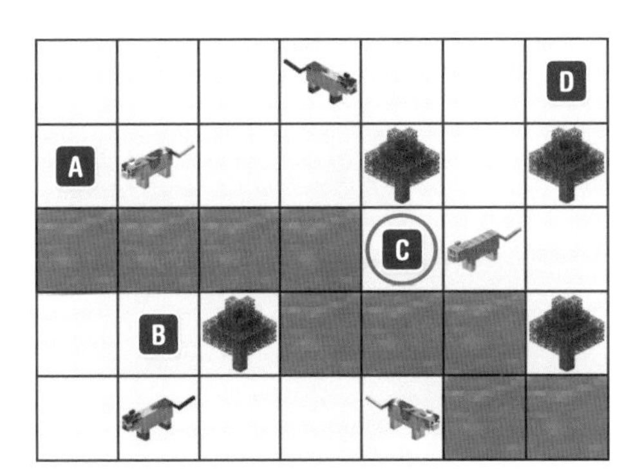

02 かがみうつしの　まちがいさがし

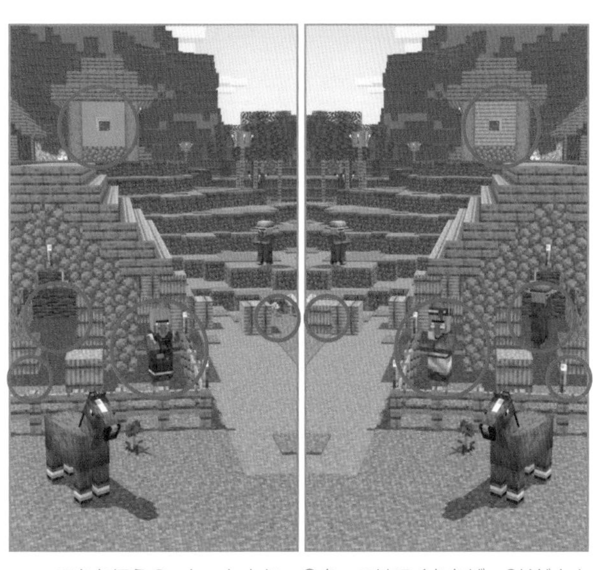

※かたほうの　しゃしんに　○を　つけてくれれば　OKだよ！

#05 たべものを　手に入れよう!

14-15ページ

01 たべものだけ　ひろって　いこう!

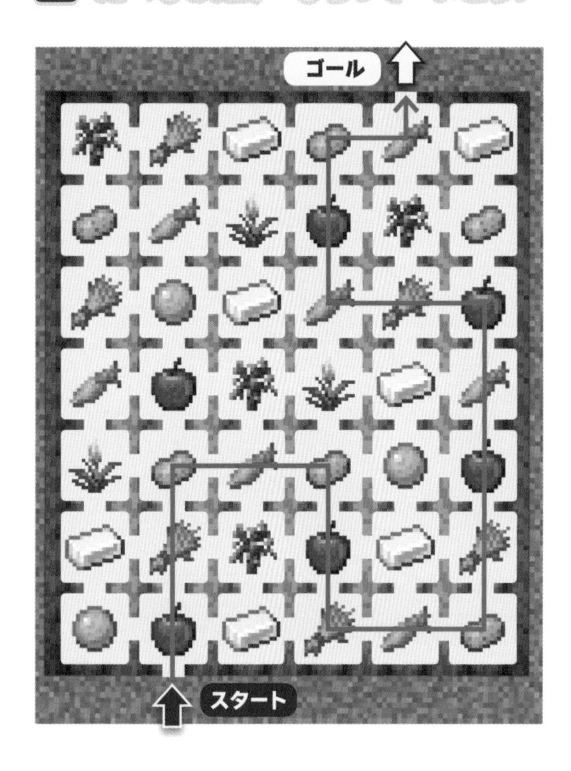

02 ちがう　おにくは　どれ?

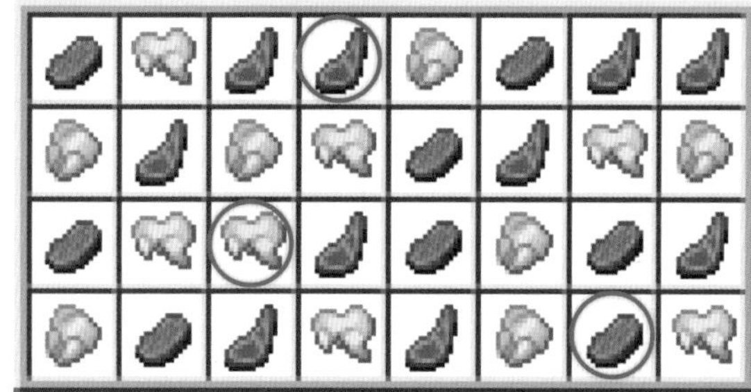

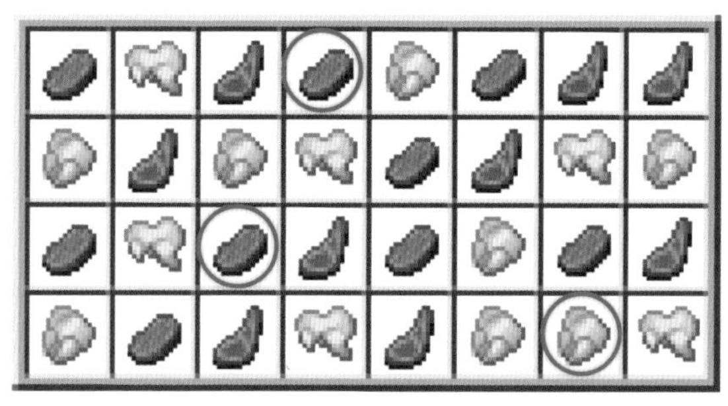

#06 森林探検家の地図を　手に入れよう

16-17ページ

01 製図家を　見つけよう

02 製図家と　地図を　とりひきしよう

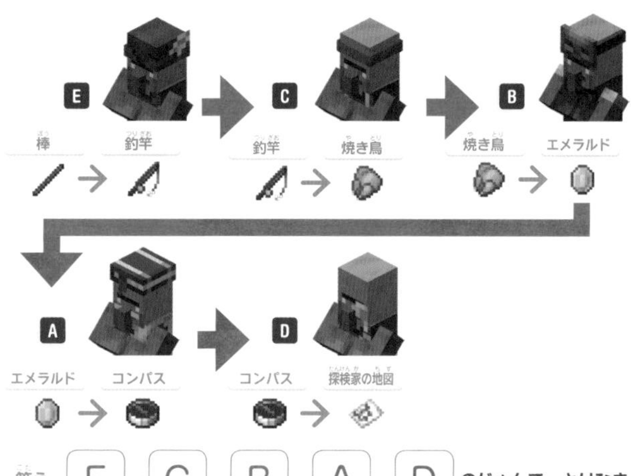

#07 てきの しゅうげきから 村を まもれ! 18-19ページ

01 すべての 村人を たすけよう

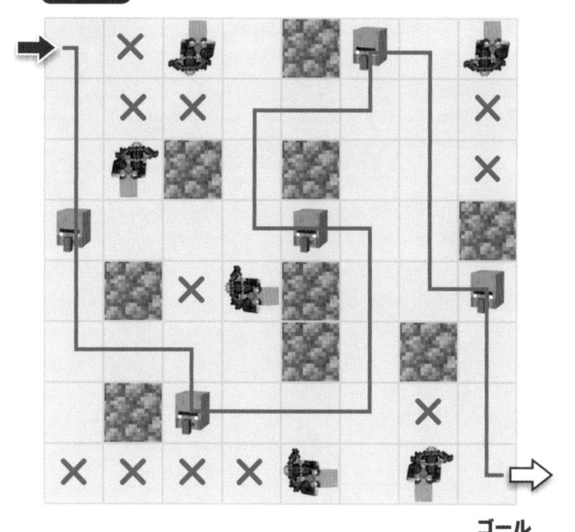

02 ボスを たおせる アイアンゴーレムは?

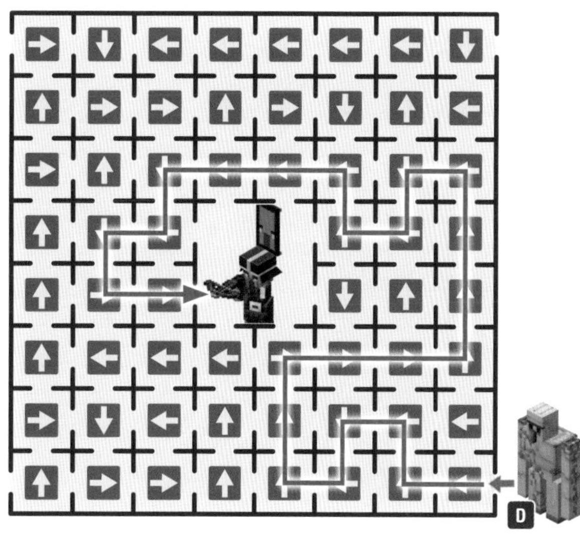

答え. ボスに たどりつける ゴーレムは D

#08 ぬまちの スライムに きをつけろ! 20-21ページ

01 スライムは どこに かくれてる?

02 スライムの ぬまを とおりぬけよう!

※答えの例

#09 さばくの村で　ラクダを　手に入れよう　22-23ページ

01 さばくの村の　まちがいを　さがそう

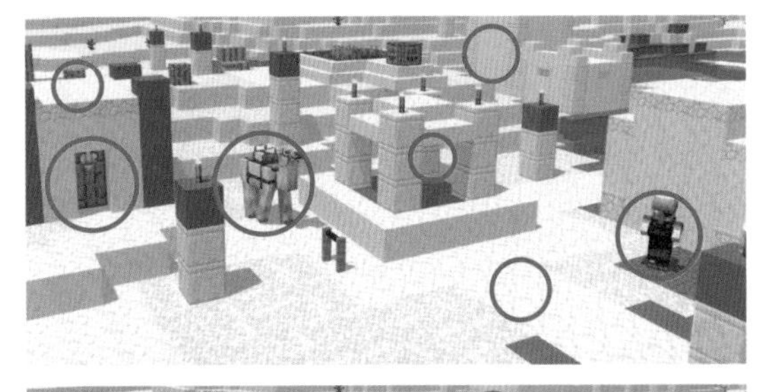

※かたほうの　しゃしんに　○を　つけてくれれば　OKだよ！

02 ふたごの　ラクダを　見つけよう

#10 さばくの　ピラミッドを　こうりゃく！　24-25ページ

01 せいかいの　ピースを　見つけよう！

答え. D

02 いろちがいの　マスを　こうごに　すすめ！

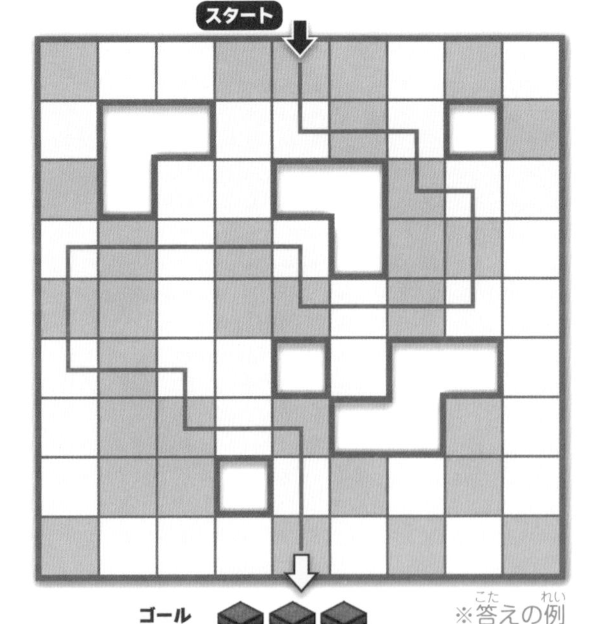

ゴール

※答えの例

#11 森の洋館に　入りこもう!

26-27ページ

01 森の洋館への　みちを　さがそう

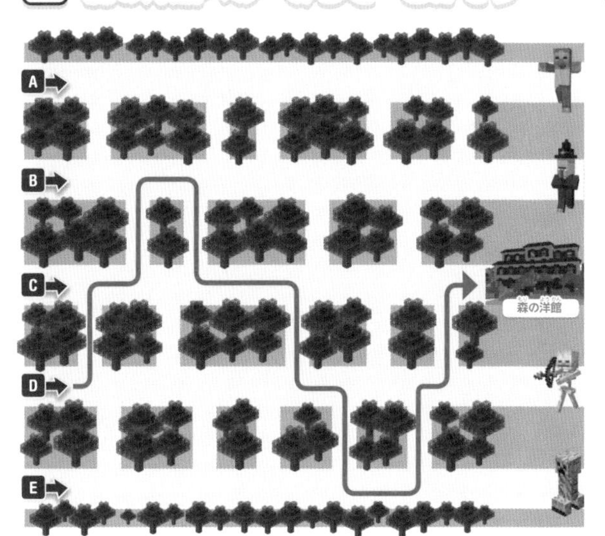

02 森の洋館の　ないぶを　チェック!

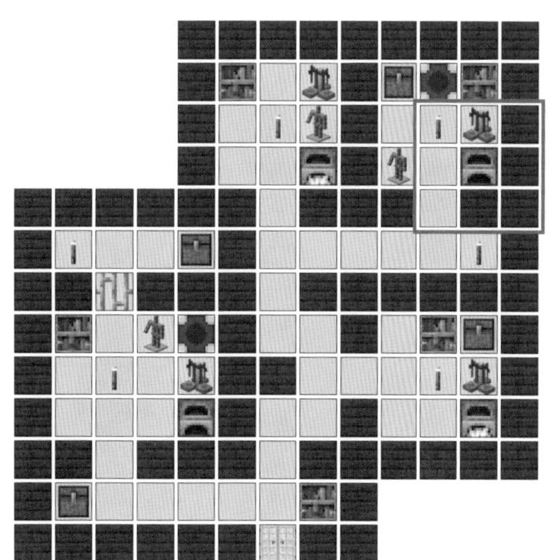

#12 森の洋館の　ボスモンスターを　たおせ!

28-29ページ

01 モンスターの　しょうたいを　あばけ!

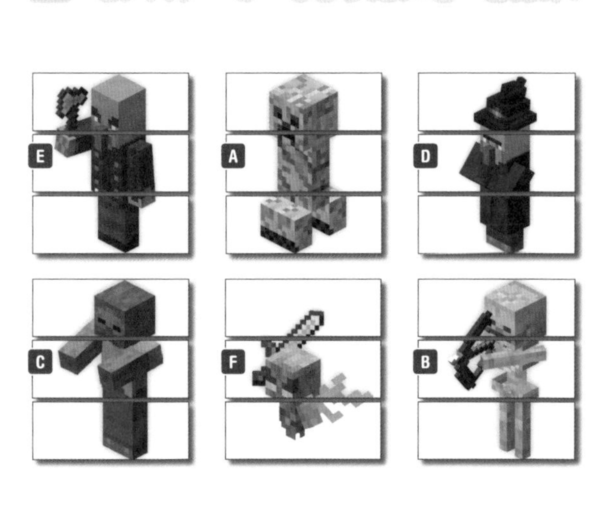

02 まじゅつし　エヴォーカーを　たおせ!

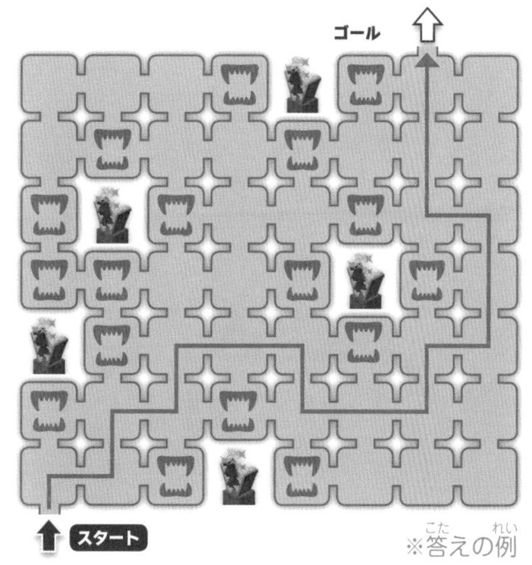

※答えの例

#13 さかなを　つってみよう!

30-31ページ

01 いちばん　さかなが　つれるばしょを　さがそう

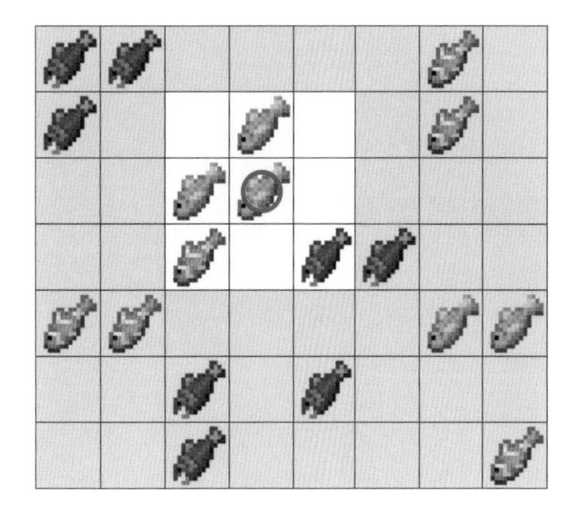

02 はずれアイテムを　つらないように　つりをしよう

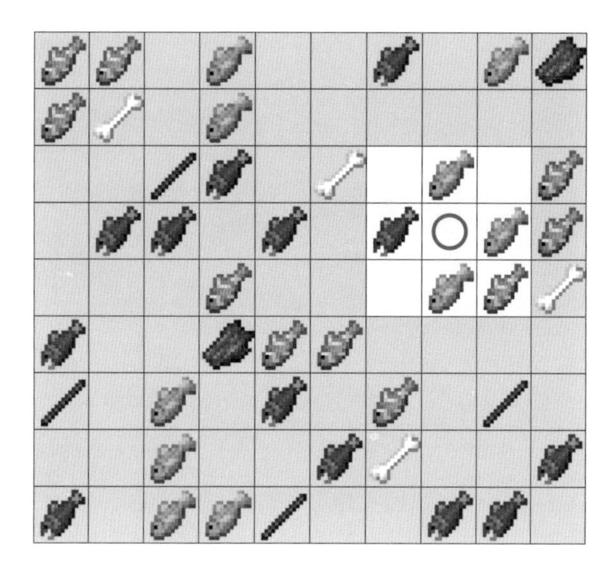

#14 カメのたまごを　まもろう!

32-33ページ

01 カメの　ペアをつくろう

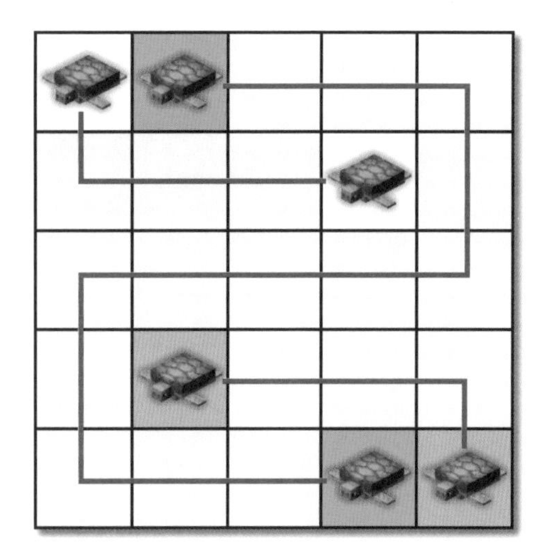

02 カメのたまごを　まもろう!

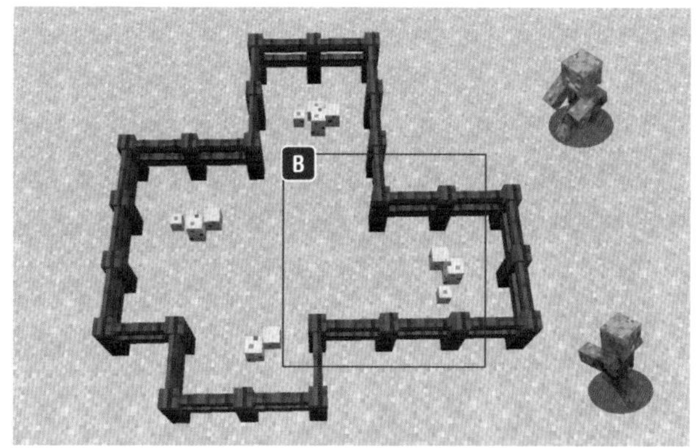

答え. ただしい　しゃしんのパーツは B です

#15 ボートを　つくろう!

34-35ページ

01 ボートを　つくるために　木を　きろう

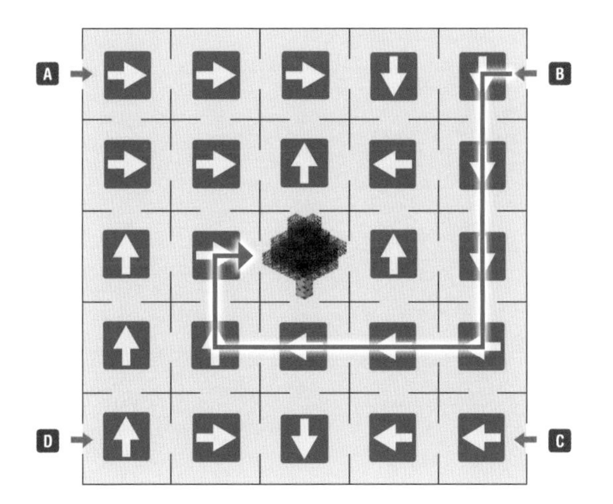

答え. B の　ばしょ

02 スティーブのボートを　さがそう

#16 水中呼吸のポーションを　つくろう!

36-37ページ

01 水入り瓶を　あつめよう

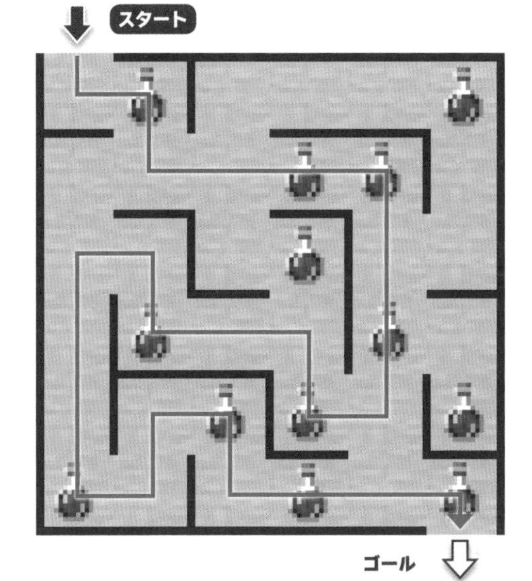

02 水中呼吸のポーションを　さがしだそう!

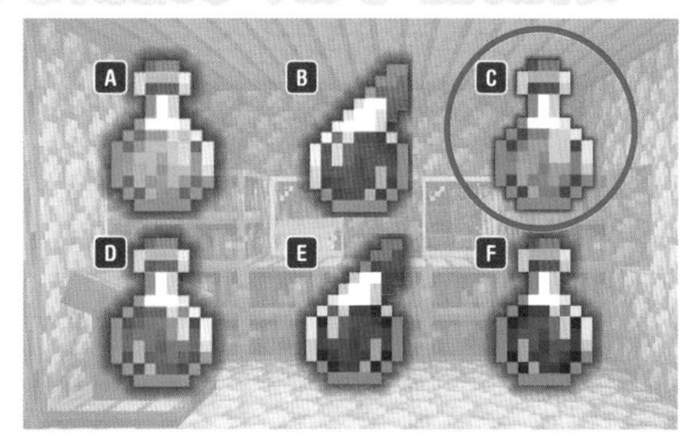

たしか　あかいポーションの　すぐ　ちかくに　おいたわ。

水中呼吸のポーションは上のだんに　あったよ。水入り瓶と　おなじかたちの　瓶だったよ。

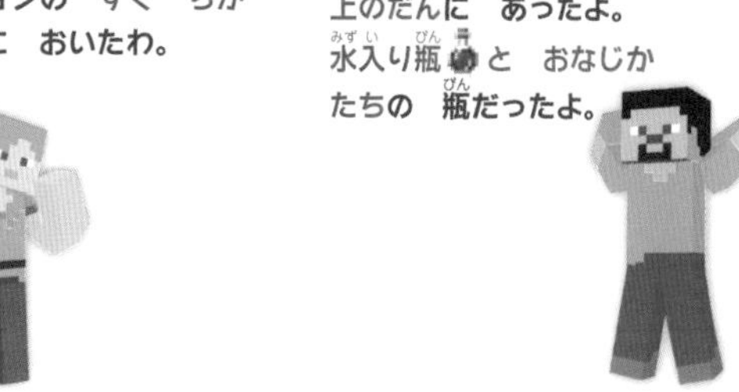

答え. 

のポーション

#17 イルカに　海を　あんないして　もらおう!　38-39ページ

▶ 海の中の　まちがいを　さがそう!

※かたほうの　しゃしんに　○を　つけてくれれば　OKだよ!

#18 トライデントを　手に入れよう!　40-41ページ

01 きそくを　見つけよう

01

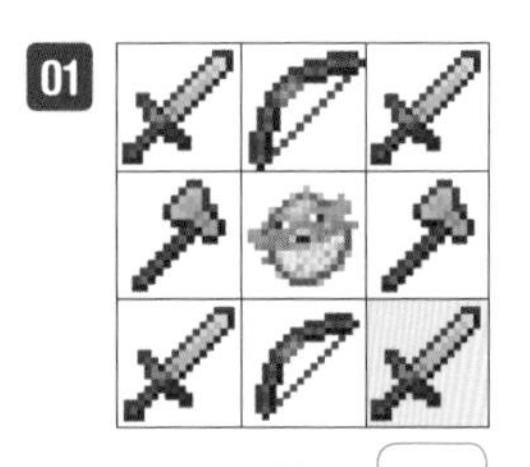

答え. A

02

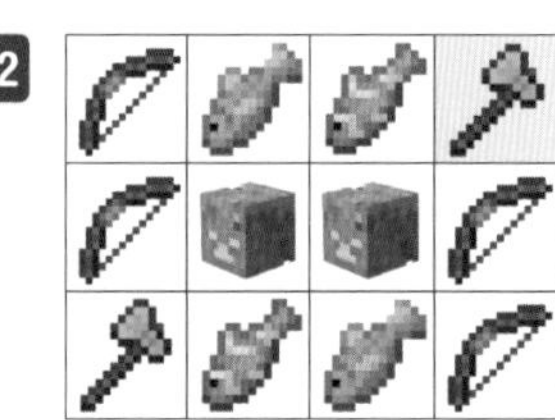

答え. B

03

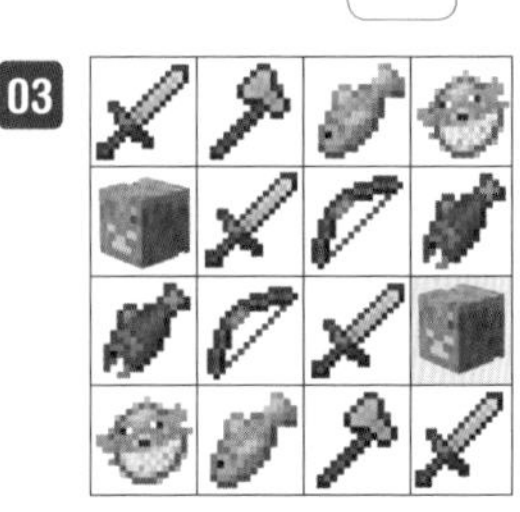

答え. D

02 トライデントを　もっているゾンビを　さがそう

#19 難破船で 宝の地図を 手に入れよう!

42-43ページ

01 ただしい ピースを あてはめよう

答え.ただしいピースは C

02 宝の地図 が入ったチェストを あてよう

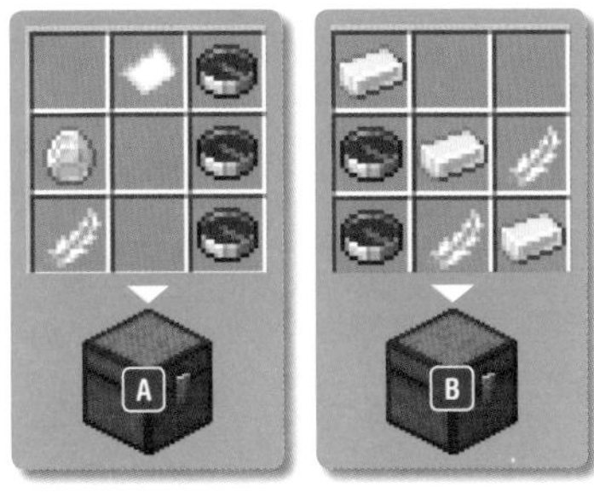

答え.宝の地図が入っているのは C のチェスト

#20 サンゴ礁に ついたぞ!

44-45ページ

01 サンゴブロックの かずを かぞえよう

A

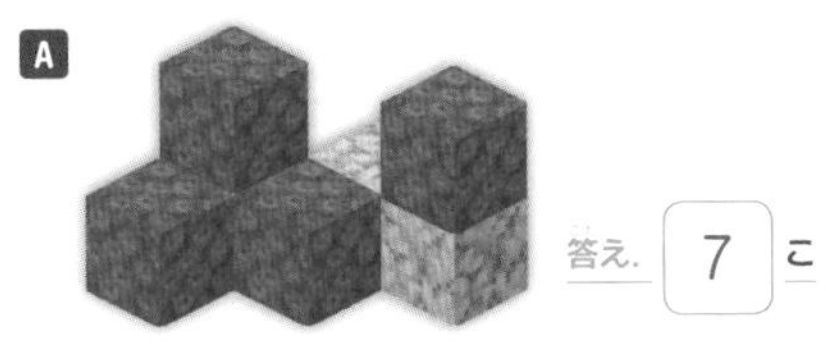

答え. 7 こ

B　C

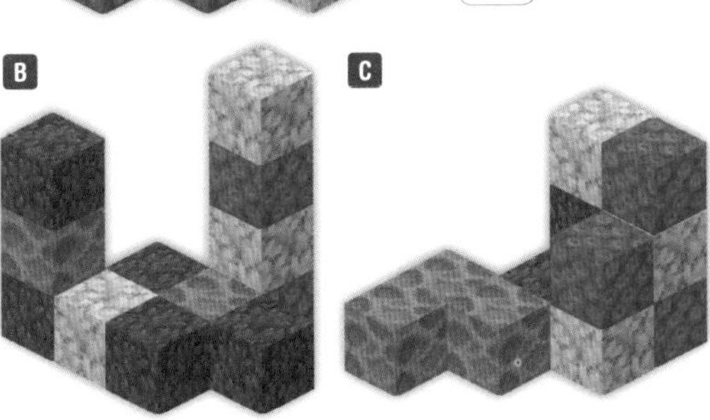

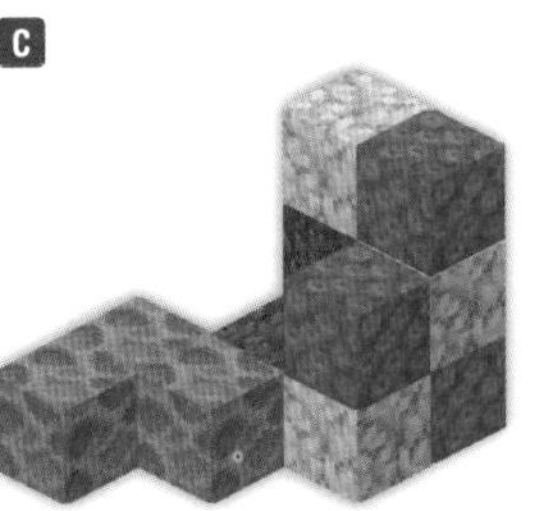

答え. 12 こ

答え. 12 こ

02 サンゴブロックの くみあわせをかぞえよう

A

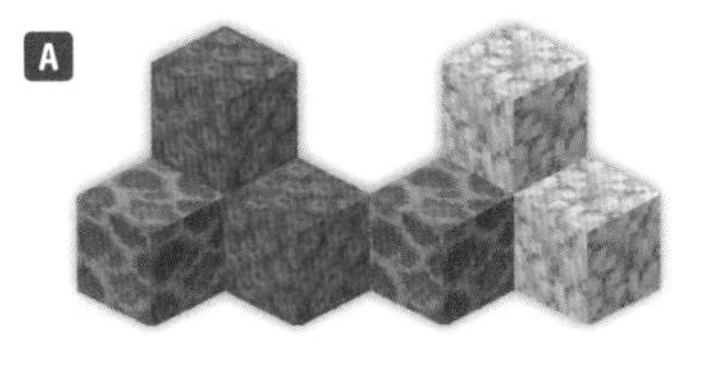

答え. 6 こ

B　C

答え. 10 こ

答え. 14 こ

#21 海(うみ)の中(なか)を　たんさく　しよう!

46-47ページ

01 かくされた　パターンを　さがしだそう

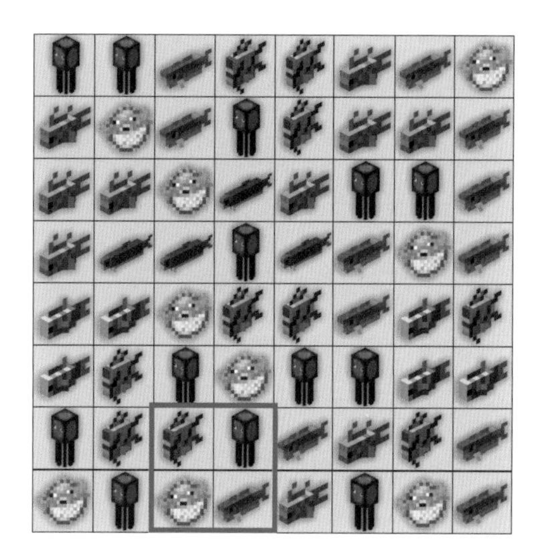

02 ヒカリイカを　ぜんぶ　つかまえよう

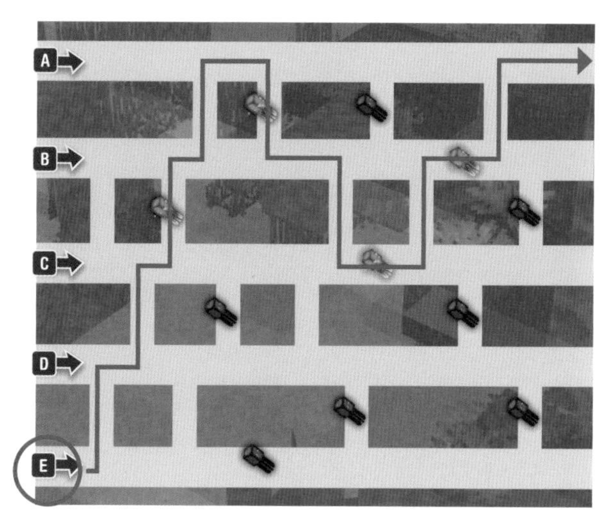

#22 コンジットを　つくろう!

48-49ページ

01 しゃしんを　かんせい　させよう

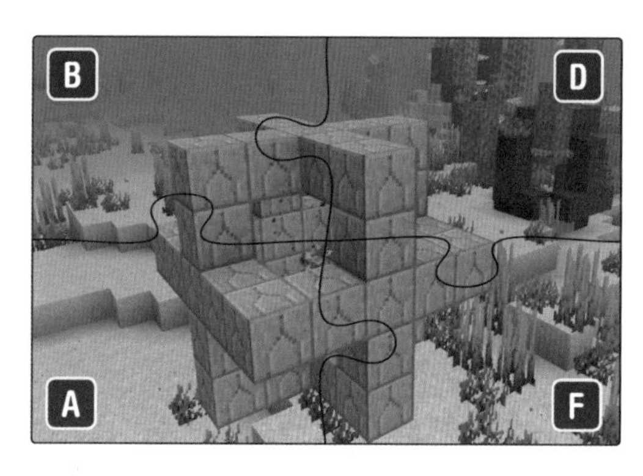

1 B　2 D

答(こた)え. 3 A　4 F に　ならべる

02 コンジットの　かたちを　かくにんしよう

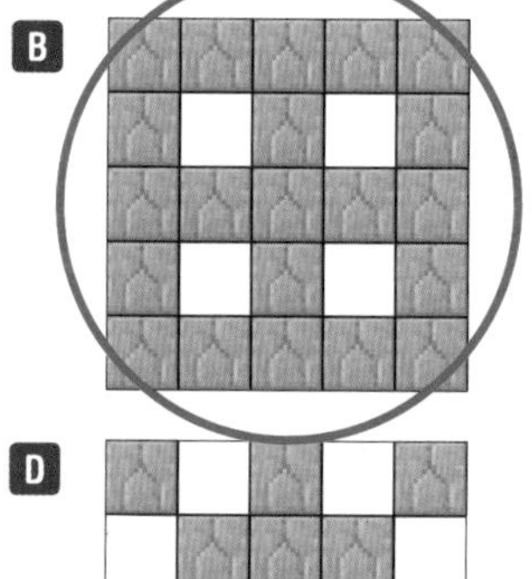

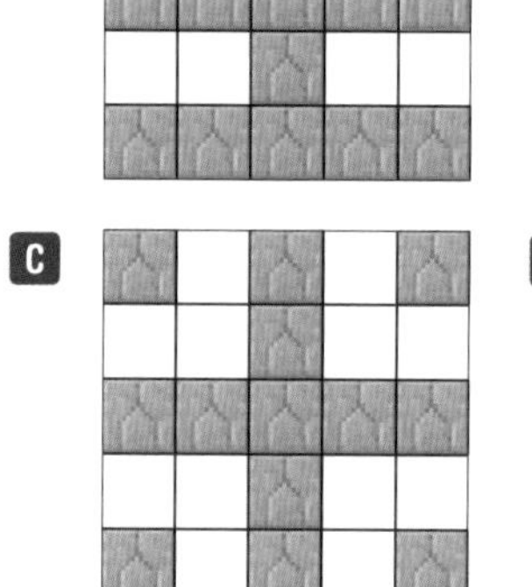

A

D

答(こた)え. さい大(だい)　パワーの　コンジットは B

#23 海底神殿(かいていしんでん)を　たんさく　しよう

50-51ページ

01 海底神殿(かいていしんでん)に　たどりつこう

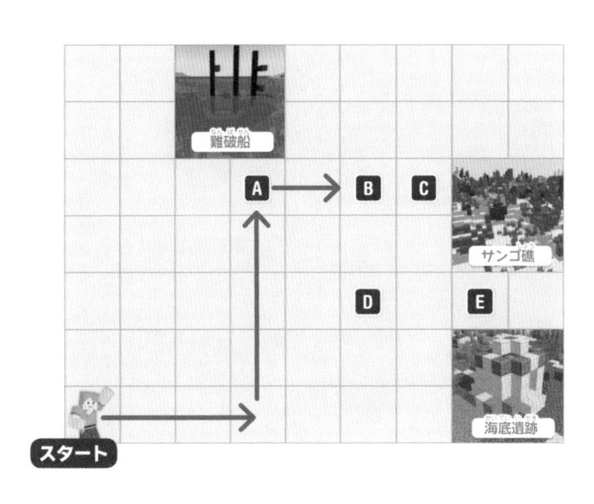

答え. B の ばしょ

02 ガーディアンを　よけて　すすもう

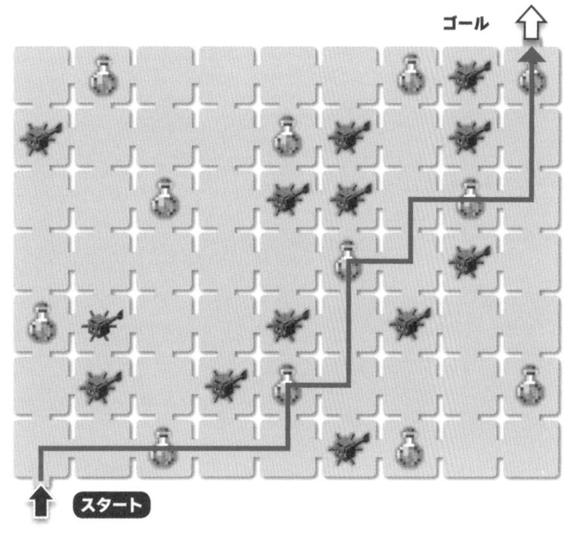

#24 エルダーガーディアンを　たおそう!

52-53ページ

01 ビームを　よけて　ちかづこう

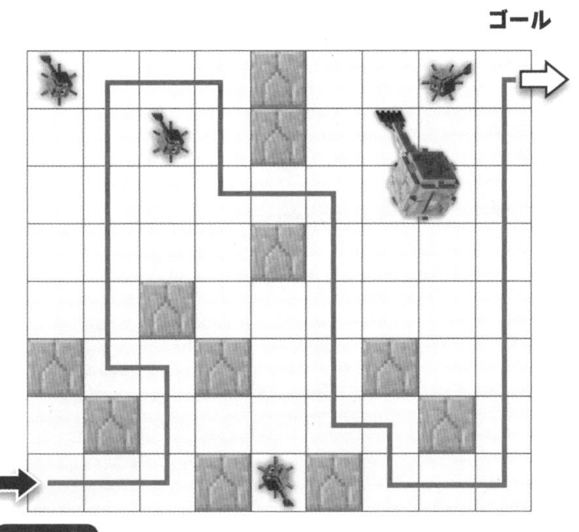

02 トライデントで　こうげき　しよう!

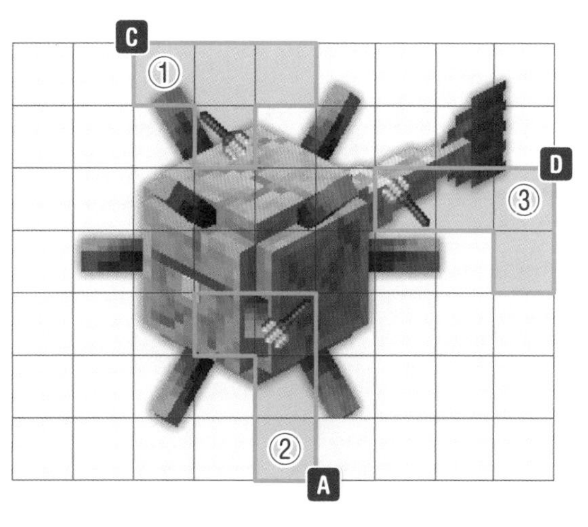

#25 ジャングルの　いきものたち　54-55ページ

▶ シルエットの　いきものは?

#26 ちていに　むかう　どうくつを　さがせ!　56-57ページ

01 どうくつの　ばしょを　さがそう

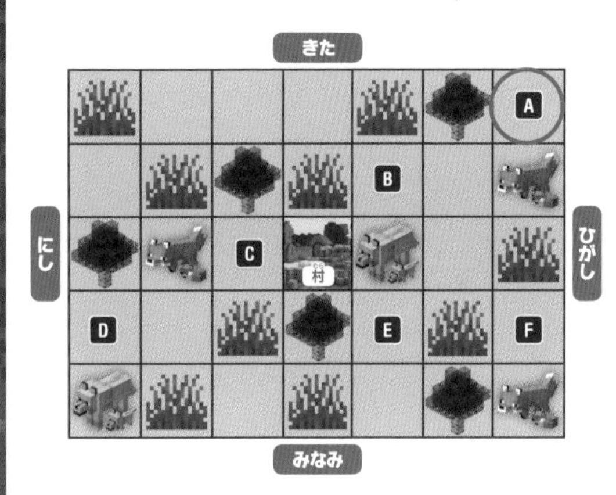

02 どうくつの　入り口は　どれ?

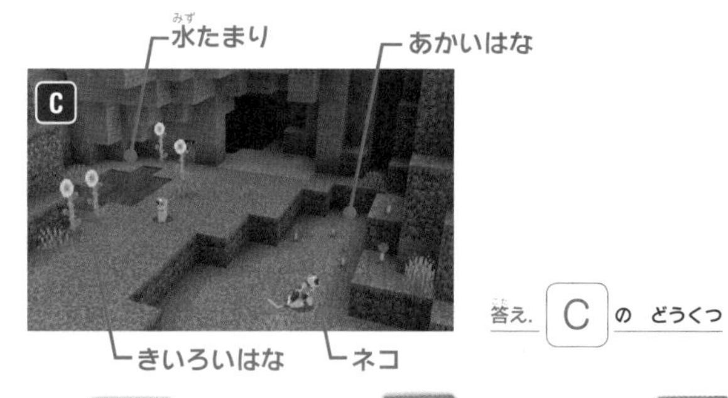

答え. C の　どうくつ

どうくつの　入り口に
いつも　ネコが　いたよ

入り口の　ちかくに
あかいはなと　きいろい
はなが　さいてるんだ!

ちかくに　ちいさな
水たまりが　あったなあ

#27 どうくつたんけんの　じゅんびを　しよう　58-59ページ

01 たんさくアイテムを　かくにんしよう

02 どうくつの　入り口に　まちがいはっけん！

※かたほうの　しゃしんに　○を　つけてくれれば　OKだよ！

#28 ちていの　どうくつを　たんさく　60-61ページ

01 松明を　たやさず　ゴールを　めざせ!

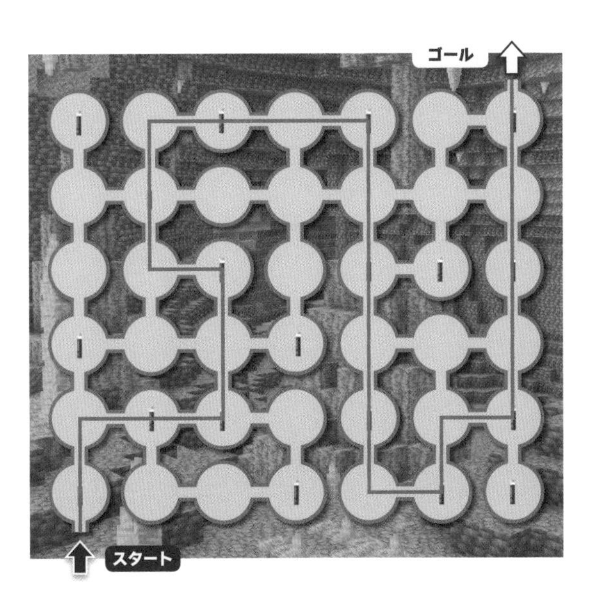

02 どうくつの　大めいろを　ぬけろ!

#29 どうくつの　おくに　すすめ！　62-63ページ

01 いわブロックを　じゅんばんに　ほろう

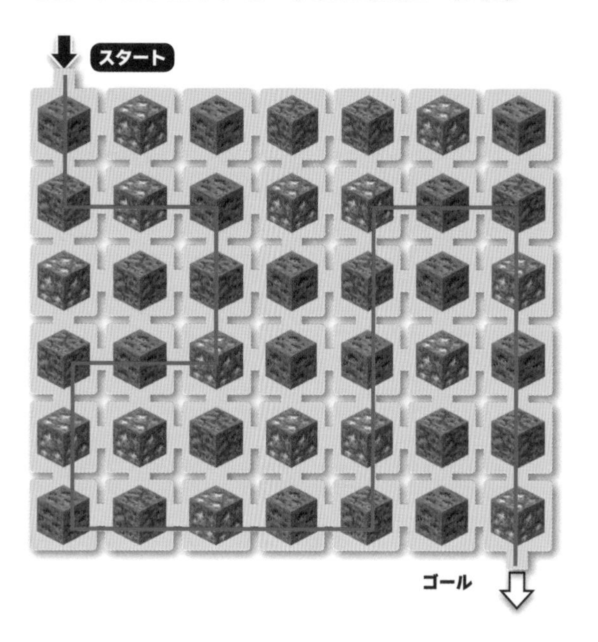

02 どうくつの　そこに　おりよう

#30 かくれている　モンスターを　見つけよう！　64-65ページ

01 てんを　つないで　モンスター　はっけん！

スケルトン

02 さらに　モンスターが　しゅつげん！

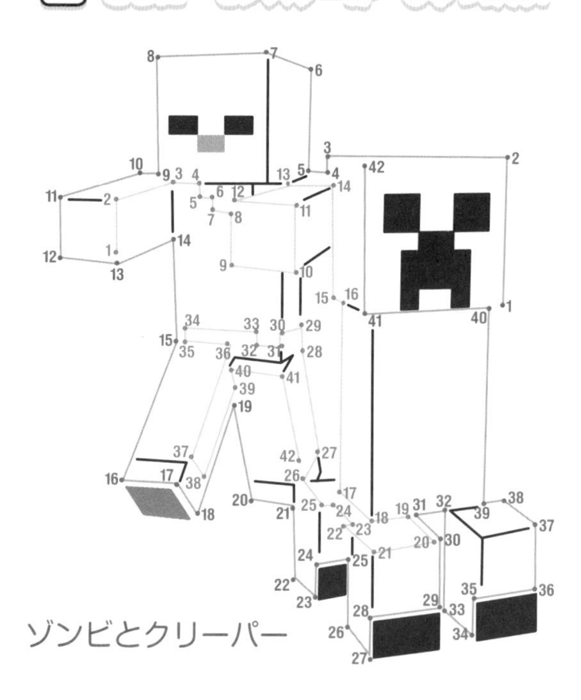

ゾンビとクリーパー

#31 どうくつの　モンスターを　たおせ！　66-67ページ

01 さいしょに　たおす　モンスターを　えらべ！

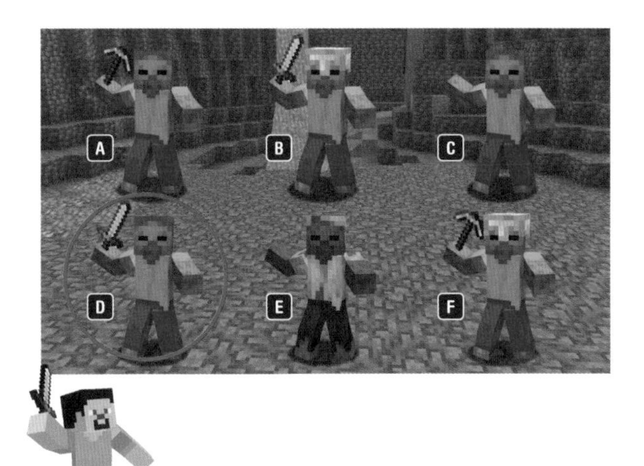

さいしょに　こうげきするのは、あの　あたまに　なにも　かぶっていない
ゾンビだ！　ぶきを　もっているから、しんちょうに　こうげきしよう！
よこに　いろが　ちがう　ゾンビが　いるから　ちゅういしてね！

答え. D の　ゾンビを　こうげき

02 3つの　モンスターを　ならべて　たおせ！

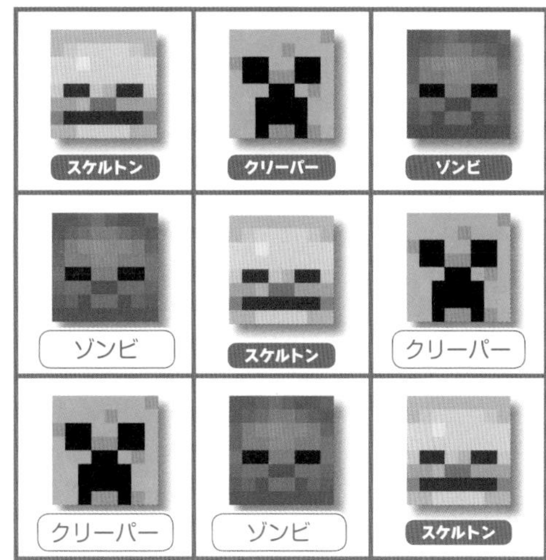

#32 ちていに　みずうみを　はっけん！　68-69ページ

01 ちょうレアな　あおウーパーを　さがそう！

02 ちていの　みずうみを　わたろう

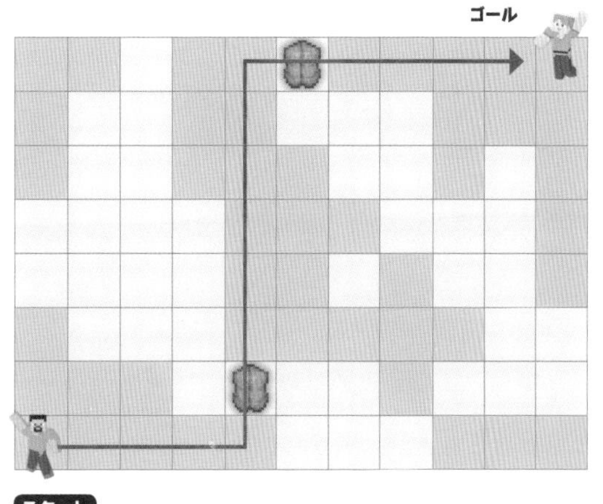

#33 ちていの　レア鉱石を　手に入れよう　70-71ページ

01 ダイヤモンド鉱石を　はっけん！

※かたほうの　しゃしんに　○を　つけてくれれば　OKだよ！

02 いちばん　あつまった　ほうせきは？

答え.いちばん　あつまったのは　エメラルド

#34 廃坑で　おたからを　はっけん！　72-73ページ

01 チェストまで　たどりつこう

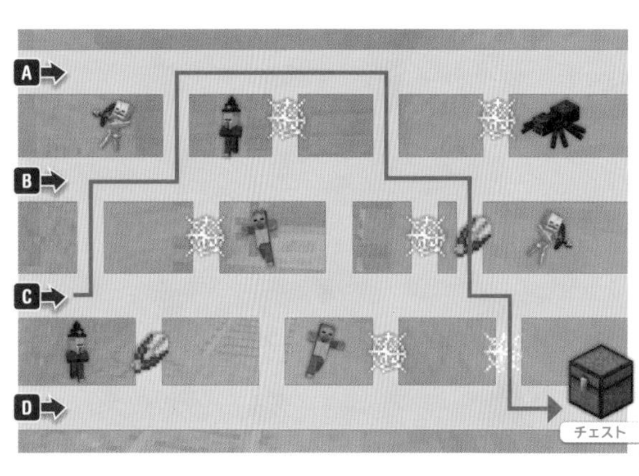

02 チェストを　ゴールまで　みちびこう

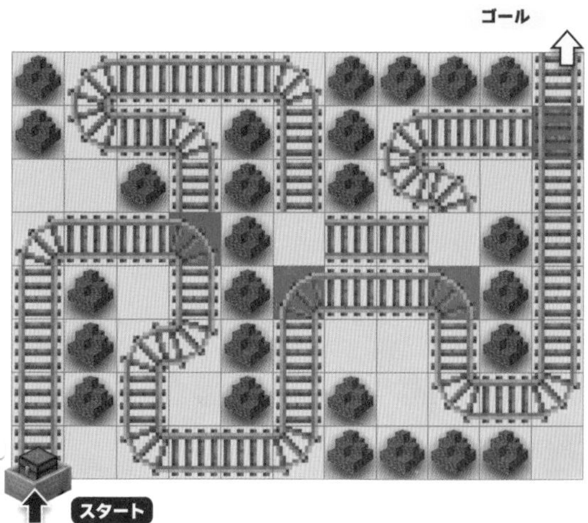

#35 古代都市を　たんさく　しよう！

74-75ページ

01 あしおとを　つたえないように　すすもう

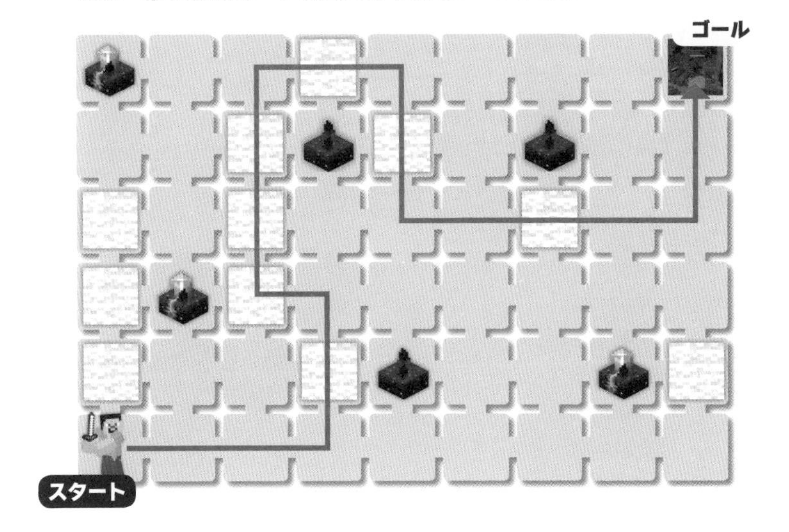

02 おなじ　かいろを　さがそう

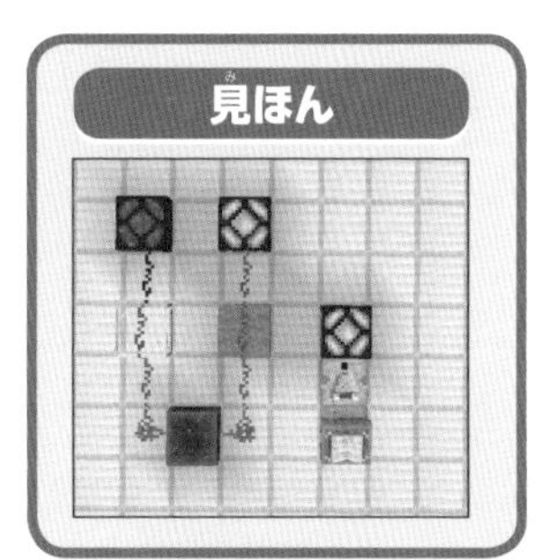

D

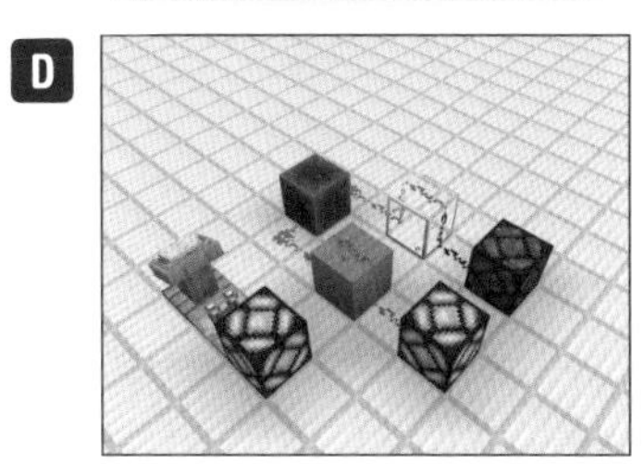

答え. D

#36 ウォーデンから　にげきろう！

76-77ページ

▶ さいごの　まちがいさがし！

※かたほうの　しゃしんに　○を　つけてくれれば　OKだよ！

発行日
2024年4月5日

企画・制作
standards

編集・執筆
野上輝之(GOLDEN AXE)／宮北忠佳(GOLDEN AXE)

カバーデザイン・アートディレクション
ili_design

本文デザイン
有泉滋人

編集人
澤田 大

発行人
佐藤孔建

発行・発売
スタンダーズ株式会社
〒160-0008 東京都新宿区四谷三栄町12-4
TEL 03-6380-6132(営業部) 03-6380-6136(FAX)

印刷所
株式会社シナノ

https://www.standards.co.jp/
スタンダーズ公式サイトには、最新書籍の情報や本に関するニュース、記事の訂正情報などが掲載されています。

●本書に関するお問い合わせに関しましては、お電話、FAX、郵便によるお問い合わせには一切お答えしておりませんのであらかじめご了承ください。メール(info@standards.co.jp)にてご質問をお送りください。順次、折り返し返信させていただきます。ただし質問の際に、「ご質問者さまのご本名とご連絡先住所／メールアドレス」「購入した本のタイトル」「質問の該当ページ」「質問の内容(できるだけ詳しく)」などをお書きの上お送りいただきますようお願いいたします。なお、本書をご購入いただいていない方からの質問、また、本書に掲載されていない事柄や製品、情報などについての質問にはお答えできませんのであらかじめご了承ください。また、編集部ではご質問いただいた順にお答えしているため、ご回答に1～2週間以上かかる場合がありますのでご了承のほどお願いいたします。